José:

Esta persona fue una comentarista de Radio muy famosa espero que sus 2 libros te ayuden a la preparación de tus clases

Saludos

de Cristina, Samantha

y Luis.

Junio 1992

Luz García Alonso

EL TESTAMENTO DE EMMA GODOY

EDITORIAL JUS
MEXICO

EL TESTAMENTO DE
EMMA GODOY

Plaza de Abasolo Nº 14.
Tel 526-06-16.
Fax: 529-14-44.
Col. Guerrero.
06300 México, D. F.
SEGUNDA EDICION
ISBN: 968-423-252-7.

Dedico esta obra al Excmo. Mons. Dr. Ernesto Cardenal Corripio a quien Emma y yo profesamos un respetuoso y filial afecto.

PROLOGO

Todos los grandes artistas y pensadores pertenecen a determinado linaje, espiritual, así como los seres comunes y corriente poseen una familia biológica y afectiva. Emma Godoy es de la estirpe de Santa Teresa de Avila, la misma de los poetas que son, al mismo tiempo, personas de acción y fundación, como se verá en este libro de la doctora Luz García Alonso dedicado a la vida y obra de Emma Godoy, aquel jubiloso portento que pasó a nuestro lado en perpetua actividad creadora, fecundadora de almas y avasalladora de voluntades.

No había manera alguna de evadir la pasión cosmizadora de Emma. Era de ésos valientes que se aventuran al caos y vuelven siempre portadores de un nuevo predio de orden y de esa luz que sólo reviste a los que se dan a tan enriquecedora aventura del ser, la aventura suprema, la aventura ontológica por excelencia. No hubo un día, de su nacimiento a su muerte, que Emma no aumentara su ser y no aumentara el de los demás. Por eso le debemos eterna gratitud y constante memoria. La doctora García Alonso fue de sus amigas más próximas, de las que mejor le entendieron y con las que mejor se entendió. Entregadas las dos a la empresa de pensar, las dos con una cabeza de filósofo sobre los hombros, tuvieron profundas afinidades: se hallarán a cada paso en este libro, el más cercano a la naturaleza y el carácter de Emma, filósofa por acción y vocación que al pensamiento y su ejercicio rindió sus dones de poeta, el poder seductor de la palabra. La filosofía fue el gran amor intelectual de Emma Godoy y con la filosofía legisló sobre sus actos de creación, propagados por ella en un santo contagio de su luz. Su norma fue la propuesta por el Anónimo Sevillano: "Iguala con la vida el pensamiento". En efecto: Emma jamás separó su existir de lo que pensaba y de lo que hacía. Tuvo una vida, repito, de fundaciones jubilosas, a las cuales entregó sus portentosas energías de alma y cuerpo.

Se consumió como la cera del altar: quemando su materia con la llama. Cada vez más llama y cada vez menos materia. Y así tuvo, después de una vida triunfal, una muerte de triunfo. Felices los que así regresan a su primera morada. Con el triunfo del espíritu sobre la carne que ya es tentación furiosa y ya puro dolor oscuro. Bien separaba Emma su carne de su espíritu. Y cuando, clavada en el dolor intenso de su carne, se le preguntaba cómo se sentía, solía responder sonriendo: "Mi cuerpo está mal, pero yo estoy muy bien". Lo mismo habrá dicho Santa Teresa, vieja y rendida de caminos, como el caballero andante que hubiera sido de nacer varón. Llamaré pues a Emma, como a Santa Teresa, caballera andante, fatigadora de sendas, ambiciosa de almas, como aparecerá en estas páginas que van a abrirse cuando yo termine mis palabras, que la poderosa imagen de Emma me dice chicas y sin valor.

Prepárese pues el lector a conocer, por Luz García Alonso, la maravilla de una vida y una obra a las que yo, por lo menos, no les he conocido par. Esto no será frío y rígido como suelen ser ciertos inútiles ejemplos. Esto será lo que era Emma: la pura vida, vida a la vez retirada y activa, de meditación y de acción. Emma no se conformó con ser muy buena para su almario y ya. Emma anduvo de pastora de corazones, de norte de extravíos. A muchos condujo felizmente al redil con aquella su genial adaptación de la gran filosofía a vida diaria. Como a los grandes fundadores griegos de la filosofía, no pensó que éste fuera ejercicio especulativo sin un fin concreto humano. La aplicó pues a la vida y puso sus principios en el camino de la gente común, que por millones se iluminó guiada por aquellas sabias palabras de Emma vestidas de humilde realidad cotidiana.

Emma fundó así el bien disipando oscuridades y dudas. Nuestras pobres almas en ellas se revuelven y creen no creer. Pero sabía, con Mircea Eliade, que el inconsciente es religioso. Y allí se dirigía, a levantar de las profundidades del ser, hasta el rostro mismo, la luz ardiente de Dios, del Dios oculto en todos los seres humanos que saben la infinita riqueza que guarecen en sus honduras últimas, en sus simas inexploradas. Quizá ésa fue la más alta obra de la fundadora y pensadora Emma Godoy: pasó despertando dormidos y les dio conciencia de Dios. Así volvió a su Creador como ella siempre lo quiso: con las alas desplegadas de la mariposa que nació larva, se hizo capullo y finalmente luz, colorido y vuelo. Esa Emma inmensamente dichosa, aun en medio de su cuerpo atormentado, es la que está aquí, en este libro. Nos espera. Dejémosla surgir. Luz García Alonso la tiene de la mano.

Margarita Michelena

INTRODUCCION

Ya son muchas las personas que se acercaron a la obra de Emma Godoy, bien a través de la radio, de sus libros o artículos, pero no tuvieron la oportunidad de conocerla personalmente.

Para ellas escribo este libro en el que intento delinear las características distintivas de su personalidad, sus gestos, sus reacciones típicas, su manera de ser.

He procurado hacer su retrato salpicado de anécdotas y apoyado con algunas semblanzas escritas por otros autores.

No quise dejar de describirla físicamente, pero me dediqué sobre todo a destacar su temperamento, su carácter, sus virtudes y su modo de ver la vida.

A quienes quieran saber qué aspecto tenía Emma, cuáles eran sus gustos en comidas, vestidos o viajes, quiénes fueron sus amigos, y cuáles eran sus cualidades, qué cosas aborrecía, dónde y con quien vivía... y algo más... hago la cordial invitación para que encuentren esas y otras respuestas a lo largo de estas páginas.

LA CASA DE PLATANALES

Cuando conocí a Emma, en el otoño de 1968, hacía ya diez años que vivía en su casa de Platanales.

Dos amigas de toda la vida, compenetradas y ambas solteras decidieron compartir una misma casa compuesta de tres pisos. Ellas eran Daría Rojí (Ila) y Emma Godoy. Emma ocupaba la planta baja, Ila el primer piso y una inquilina el tercero. Así vivían acompañadas e independientes a la vez.

Emma solía explicar: "me quedé soltera porque siempre aspiré a la respetabilidad de la casada, pero también a la libertad de la soltera, lo cual equivale a estar viuda, así, yo tengo vocación de viuda, pero ningún hombre se interesó en ayudarme a realizar mi vocación: le hubiera costado la vida".

Ila es una mujer con un sentido común aplastante, una fe recia y una sólida formación doctrinal. Tan interesada por todo lo referente a Emma, que era capaz de escucharla multitud de veces, y, en ocasiones, aún a propósito de los mismos asuntos (conferencias, anécdotas, lecturas de sus cuentos...) Vivió en función de Emma con una gran sencillez y con una entrega ejemplar. Eran, en varios aspectos, dos personalidades contrastantes: Ila es una gran ama de casa, amante de la limpieza y de la cocina, mientras que Emma era bastante inepta para estos quehaceres. Ila cocinaba para Emma una vez a la semana, y ese día la escritora disfrutaba de sus platillos favoritos preparados con cariño y habilidad. El resto de la semana Emma acostumbraba comer "tacos" en cualquier lugar que le acomodara.

Amantes de la música, cada una tenía un órgano en su apartamento. Emma compuso algunas canciones que Ila cantaba acompañada de su órgano. En ocasiones cantaban ambas mientras Emma tocaba la guitarra. También yo toqué la guitarra alguna vez, y aunque hoy no recuerdo casi ninguna de aquellas canciones, aún soy capaz de acompañar una de las de Emma, cuya letra es:

Vengo para decirte que te quiero
con toda la ansiedad del corazón
traigo por tí los labios hechos ruego
para pedirte que me quieras como yo
vengo con mi plegaria hecha canción.

La tarde rumorosa y perfumada
me dijo que viniera hasta tí,
me habló de tu querer la brisa alada,
labró la roca viva tu perfil.
Bajé de mis montañas extasiada
a darte el cantar del corazón,
te dejo, con mi ruego, la esperanza
para pedirte que me quieras como yo.

Es una canción cadenciosa y romántica que recuerda aquellas de Guty Cárdenas, con el estilo especial que marca el clásico ritmo del campechano.

Ila es naturalmente sociable, disfruta de la compañía humana, Emma, en contraste, hizo decir a uno de sus personajes que es fácil amar al lejano, pero no al prójimo. Pero Emma era capaz de ofrecer una amistad profunda, generosa y cálida, lo cual manifiesta que sobre su natural rechazo al prójimo se construía la caridad sobrenatural, cristiana y misteriosa, porque ella estaba siempre dispuesta a acoger a las personas y tenía la pasión de guiarlas, de esclarecer sus mentes y de entusiasmarlas por los valores más elevados de lo humano y trascendentes a lo humano.

Hacia 1973 hizo construir su estudio en el cuarto piso de la casa. En el pórtico escribió los versos de Lope:

A mis soledades voy,
de mis soledades vengo,
porque para estar conmigo
me bastan mis pensamientos.

El estudio consta de una habitación en forma de escuadra en la cual hay una cama, naturalmente, pues ella escribía en la cama (yo comprendía muy bien esta extravagancia suya, pues yo tampoco puedo escribir en mi escritorio: utilizo un sofá). Fuera del estudio hay una terracita con piso de loseta, donde colocó un telescopio para mirar las estrellas. Un colega mío, Paulino Quevedo (doctor en pedagogía y licenciado en filosofía, además de aficionado a la astronomía) fue a instalárselo. También en la terraza colocó una estatua de San Miguel. En aquella época hablaba mucho del demonio, repetía con su sencillez didáctica, que Satanás siembra la confusión para ocultar la verdad, y en aquellos momentos confundía a las gentes haciéndolas dudar de su existencia, y también haciéndolas negar la existencia del infierno. En realidad la cruzada de Emma fue la de cristianizar el mundo de la cultura, un mundo que el diablo no quiere que le sea arrebatado; ella tenía razón para temerle y acudir a la protección del Arcangel San Miguel.

Recuerdo que durante la construcción de aquel estudio-torreón tuvo lugar la fiesta de la Santa Cruz. No desaprovechó la oportunidad para convivir con los albañiles a su servicio, organizándoles una "taquiza".

La casa ocupa la esquina de Clavelinas y Platanales, en la colonia Nueva Santa María. El piso de la planta baja, en el que vivía Emma era también una escuadra. Hacia la calle, con ventanas a Platanales se encontraban: el desayunador, la cocina, el baño y el vestíbulo de entrada. Hacia Clavelinas su recámara y el garage. La recámara es un rectángulo una de cuyas paredes largas es una vidriera que mira hacia un patio-jardín interior, lleno de plantas y pájaros (los gatos tenían prohibido invadir el territorio de esas avecillas). Emma, contagiada por Ila, del amor a los animales domésticos, solía tener al menos un perro y un gato, generalmente dos perros; al morir dejó dos gatos y un perro. Hubo un tiempo en el que conociendo los vecinos la debilidad de ambas por los perros, les dejaba algunos en la puerta, seguros de que ellas no los dejarían desamparados.

Ila fue la persona por quien Emma sentía mayor cariño, y la que compartió todas las circunstancias de su vida, especialmente en los últimos treinta años.

Nuestro Encuentro

Durante una temporada en que dejé la Ciudad de México leí: "Erase un hombre pentafácico" y me cautivó. Incluso lo utilicé para ilustrar mis cursos de ética.

Volví a México en 1968 y Mari Pliego, una antigua condiscípula, me presentó a Emma.

A partir de entonces iniciamos una amistad que solo se interrumpió con su muerte.

En aquella época solíamos hacer pequeñas reuniones -de una docena de personas- para festejar, por ejemplo, el santo de Emma en Corpus Christi. Pepa Gómez, una universitaria alumna mía y una joven médico, amiga de Pepa, llevaban guitarras. Conversábamos y cantábamos un rato, merendábamos cualquier cosa y disfrutábamos extraordinariamente aquellas tardes.

Emma y yo teníamos algunas características comunes: un amor incondicional por la Iglesia Católica, aversión a los convencionalismos, un espíritu libre, indisciplinado y bohemio que nos hacía aborrecer las estructuras institucionales. Ambas amábamos tanto la Filosofía como el Arte, aunque ella prefería a Platón y yo a Aristóteles, ella era maestra en literatura, mientras que yo había obtenido la maestría de pintura. No éramos afectas a las noticias del momento, que describen sucesos contingentes, pero en contraste disfrutábamos todas las trivialidades, compartíamos un sentido de la diversión muy sencillo, casi infantil, ella era tan entusiasta y tan jovial que no parecía que entre nosotras la diferencia de edad fuera de más de veinte años.

Por el año setenta y tres o setenta y cuatro llegó a mi aula Guadalupe Galáz, hoy viuda de Llamas, ella parecía tener la misión de hacernos reír. Decía tener vocación de chofer, y nos llevaba y traía, con gran pericia a todas partes. Organizaba unos días de campo "sin hormigas" bastante soportables para mi -que soy más bien gótica o citadina- y muy gratificantes para Emma -que era más bien rústica, es decir amante del aire libre y las incomodidades que lleva consigo–.

Algunas veces comimos en una trajinera en Xochimilco, otras sobre la hierba, pero con sillas y mantel. Guadalupe sabía donde hacían las mejores "quesadillas" y toda clase de antojitos a lo largo y ancho del Distrito Federal. También visitamos varios restaurantes, de cocina yucateca, internacional, norteña y simplemente mexicana. Guadalupe es incansable, entusiasta, madrugadora y puntual. Tenía dos niños de primaria y un marido comprensivo contagiado de la admiración de su esposa por Emma Godoy, también Gustavito y, sobre todo Juan Pablo participaban de aquel entusiasmo. En una ocasión Juan Pablo –que no tendría ni seis años– le preguntó a Alfonso Junco: ¿Todavía los Académicos le siguen diciendo "yelmo" al "casco"?

Alfonso Junco fue un personaje relevante en la vida de Emma Godoy. Yo diría que él era una de las personas ante cuya opinión ella se doblegaba. En ocasiones, cuando se pronunciaba apasionadamente en algún sentido sin matizarlo y sin haberlo analizado suficientemente, Alfonso le decía: "Emma, Emma" y ella, ante aquella cariñosa llamada de atención, moderaba sus expresiones.

Alfonso Junco era muy dulce y sencillo, gran defensor de la Iglesia, su "paladín" le llamaba Emma, pero de maneras muy amables, mesurado y ponderado, aunque inflexible en la doctrina, en ese punto era absolutamente firme. Profesionalmente era contador, en el aspecto filosófico era un autodidacta bien informado, totalmente coherente, con una lógica aplastante y un criterio máximamente confiable. Conocía muy bien el catecismo (que no es más que una visión simplificada de la teología) y se apoyaba fuertemente en la fe. Había sido capaz de subrayar grandes fallas en el pensamiento de Antonio Caso -que era el profesor más popular entonces y con mucha más edad que Alfonso- en aquella famosa polémica a través del periódico.

Cuando yo lo conocí, él tenía ya la cabeza totalmente blanca y era muy respetado en el ambiente literario (Miembro de número de la Academia Mexicana de las Letras). El dirigía la revista *Abside*, con la que solíamos colaborar Emma y yo (ella publicaba allí bastante tiempo antes que yo, y lo hacía más copiosamente).

Por esos caprichos del destino, Emma no fue llamada a formar parte de la Academia Mexicana de las Letras, lo cual a mi parecer merecía sobradamente. Para compensar esta omisión, yo la propuse para ser Académico de número de la Academie Internationale de Philosophie de l'Art con sede en Ginebra Suiza, y recibió el nombramiento en 1985; mientras que la Academia de la lengua es Nacional con cierta resonancia trasnacional -por ser correspondiente a la española- la AIPA es una Academia Internacional, de modo que así su curriculum resultó favorecido. Recuerdo que asistimos en grupo a un homenaje que se le hizo tal vez... a Gabriela Mistral, no lo recuerdo bien, en Bellas Artes, homenaje en el que participaban activamente Carmen Montejo y Emma Godoy. Emma, en el estrado se metía los dedos entre sus delgados y rizados cabellos provocando entre ellos un manifiesto desorden. Alfonso, en voz baja me comentaba "Mientras quienes ocupan un estrado procuran estar bien peinados, Emma se despeina ¿Se fija usted?" Alfonso era un excelente conversador, capaz de hacer que Emma le cediera la palabra. También lo lograba Margarita Michelena y en ciertos momentos Pita

Dueñas. Algunos de sus amigos y yo visitábamos en ocasiones a Alfonso Junco. Tengo la impresión de haber estado en su casa muchísimas veces y muchas de ellas también con Emma. A veces, además de la amistad, el motivo de aquellos encuentros eran los artículos o los poemas para *Abside*. Siendo directora de Filosofía en la Universidad Panamericana, invité a Alfonso Junco para que nos relatara aquella famosa polémica con Antonio Caso, su conferencia tuvo gran éxito. Teníamos planeada otra conferencia para finales de octubre también con él, cuando sobrevino su muerte, el día doce de octubre. Aquella conferencia se transformó en homenaje póstumo, en el que tomaron parte Margarita Michelena, Emma Godoy, algunos otros escritores y amigos y yo. No esperábamos que hubiera tanto público como hubo, el salón más grande del edificio que entonces ocupábamos (en las calles de Tecoyotitla) estaba abarrotado. Entonces nos llegaron varias peticiones para que repitiéramos en otros escenarios lo que habíamos preparado para leer aquel día en la Universidad.

Recuerdo que entre otros sitios fuimos a la UNAM, al Casino español, y a un Centro Cultural en la Ciudad de Puebla, el Angelopolitano.

Hicimos el viaje a Puebla en el coche de Guadalupe Galáz: Ila Rojí, Emma Godoy, Guadalupe y yo. Fueron también Eva Reyes, María Urbina y Julia Contla.

Aprovechamos aquella estancia en Puebla, no para mirar y mirar los lugares artísticos –desde luego hicimos la visita de rigor a esos monumentos– sino para comer en un parque el exquisito "mole poblano", comprar golosinas y "recuerdos" de la Ciudad de los Angeles y visitar el "African", aquel original zoológico, distribuído al modo de las reservaciones africanas, que hacía poco habían inaugurado.

Según Emma, el dueño del African había sido pretendiente de Aurora su hermana, de singular belleza cuando joven, según atestiguaban tanto Emma como Ila. Aurora, hasta hoy se conserva bella y distinguida.

Recorrimos el desértico "African" bajo el sol y sudando a mares porque allí no se permitía abrir las ventanillas gracias al peligro que representaban las fieras que nos rodeaban; muchos leones echados en la tierra y yo creo que tan acalorados como nosotros, y algunos tigres. Al terminar aquel recorrido visitamos el zoológico en el sentido tradicional, donde las personas pasean libremente y los animales ocupan las jaulas. Pero en aquel zoológico abundaban los cachorros y se permitía acariciarlos: bellísimos leones y tigres en miniatura, pero lo más encantador era un elefantito que no levantaba más de un metro desde el suelo. Emma y yo quebrantamos el reglamento y nos introdujimos en la zona vallada que servía de guarda al paquidermo. De semejante violación a las reglas, guardamos un documento filmado.

A ella le causaba cierto regocijo el hacer este tipo de cosas, en las que se faltara dentro de lo moralmente lícito, en las que se contradijeran los convencionalismos, en las que se transgredieran reglamentos institucionalizados cuya razón de ser más poderosa fuera el gusto o la voluntad de un director o de un gerente. Creo que la coincidencia más profunda entre ella y yo estaba en nuestra incapacidad de someternos a estas reglamentaciones institucionales y en nuestra repugnancia por los lugares comunes y por las conductas convencionales. Ella reaccionaba ostentosamente contra los convencionalismos externos como las modas, los horarios de las comidas, los compromisos sociales y cosas por el estilo, yo aborrezco los artificios convencionales del pensamiento y los del arte. Emma, que hizo agudas críticas al movimiento feminista, sin embargo vestía siempre pantalones y zapatos bajos. Desde luego que la razón de fondo para vestirse así era la simplificación, el ahorro de tiempo y la comodidad, pero una razón subordinada era el travieso regocijo con el que escandalizaba a las mentes pequeñas y cuadriculadas.

Entre sus blusas, tenía algunas de tela brillante que usaba para ocasiones especiales, y tenia también algunos sacos, uno de terciopelo y otro de piel, para las reuniones de gala. Casi todos sus pantalones eran negros, o al menos oscuros y generalmente muy viejos. Ella vivía con tanta austeridad, que no parecía inverosímil el que hubiera pronunciado un voto privado de pobreza.

Quise regalarle a Emma un retrato y ella no supo rehusarse. Mientras posaba me fue diciendo con mucha delicadeza que era incapaz de colgar en su casa un retrato de ella misma, que lo guardaría con mucho cariño en algún lugar escondido. Le puso un marco muy bonito y lo guardó tal como me lo había anunciado. Sin embargo, después de aquellas tres o cuatro veces que posó para mí, y a través de más de veinte años de amistad, puedo repetir verbalmente aquel retrato.

Menuda y de poca estatura -debe haber medido 1.55 aproximadamente- Emma mezclaba ese aspecto frágil, con la penetración de su mirada y la firmeza de sus frases. Sus cabellos eran castaños más bien claros, lo mismo que sus ojos. Ojos muy expresivos y chispeantes. Solía arquear la ceja izquierda y torcer la boca, Su boca era mediana de labios finos, con los dientes un poco desgastados por lo que semejaban pequeños cilindros. Sus cejas eran escasas, el cabello poco abundante y delgado. Su voz era profunda, bien matizada y sugestiva. Las posturas y movimientos elásticos y elegantes. Su aspecto general era gracioso, agradable y distinguido, pero podía llegar a ser grandioso. Recuerdo haber experimentado esta sensación especialmente durante una conferencia que dictó en un pequeño teatro de la Universidad Nacional. Ella hablaba desde el escenario con un biombo dorado a sus espaldas.

Aquella imagen me produjo una profunda impresión estética, pero sobre todo la convicción de hallarme ante un gran personaje. En contraste Emma decía que se veía a sí misma caminando por la calle, con overol de plomero y su caja de herramientas. Le llamaban mucho la atención las herramientas y era perfectamente capaz de hacer conexiones eléctricas, lo mismo que pequeños arreglos de este género, mecánicos y de plomería.

RECUERDOS DE SU INFANCIA

Emma Godoy nació en Guanajuato el 25 de marzo de 1918, en la Plaza del Baratillo.

Fue la más pequeña de una familia de quince personas. Una docena de hermanos mayores, le permitió desarrollar un profundo espíritu de independencia. Según decía ella, se libró de la sobreprotección. La familia no le prestaba mucha atención y ella disfrutaba de la libertad.

Un buen día descubrió que cada zapato pertenecía a uno de sus pies, y sólo a ese, y que si los intercalaba le molestaban. De este modo encontró la razón de su incomodidad para caminar, según que hubieran correspondido o no, pies y zapatos respectivamente.

Su madre era una buena católica y supo contagiarle su amor a la iglesia. Le enseñó aquella oración, de origen Teresiano:

"Soy tuya, nací para ti, haz lo que quieras de mí". En una ocasión me dijo que la repetía diariamente.

La señora orientó a su hija sobre el sentido de la vida y de la muerte: la vida es misión –no se viene a la tierra fundamentalmente para gozar de los placeres, para enriquecerse o conseguir honores, sino para servir a Dios– y la muerte es encuentro con Dios, la muerte es Gloria.

La pedagogía de la madre, la receptividad de la hija y principalmente la gracia de Dios, hicieron que Emma absorbiera vitalmente el espíritu cristiano,

Años después escribirá en su "Erase un hombre pentafácico": "La única perspectiva sabia para los mortales es la inmortalidad. Quienes cobardemente se niegan a subir a esa atalaya y quieren contemplar la vida desde la vida y no desde la muerte, nunca descubrirán totalidades, ni el sentido, ni el sitio que corresponde a cada cosa en el conjunto; se privarán de entender lo que ocurre acá bajo, y aun dirán que la existencia anda plagada de absurdos. Pongamos un ejemplo. Imaginemos a un miope mental que juzga extravagante la vida uterina del niño, al ver que la carne se preocupa de forjar pulmones cuando no hay aire qué respirar, y crea los ojos cuando el claustro materno carece de luz. ¿Para qué el oído? ¿Para que los pies andariegos y los brazos? la naturaleza se toma trabajos inútiles, dirá el insensato. Porque todo será incoherente para él si prescinde de que un día el niño nacerá. Pues idéntica estulticia manifiestan los que quieren ignorar la muerte, que es nuestro futuro nacimiento. No me soprendería que el universo tuviera también forma de pera como el útero puesto que es el segundo vientre donde se plasma el hombre. Aquí gastamos nuestro ser de sobrenaturalidad para que a su hora nos dé a luz el mundo soltando la placenta del cuerpo aptos y proveídos de órganos para la vida eterna, órganos, virtudes, que aquí nos parecen estar de más. La creatura que no pensara nacer, susprimiría en la matriz labios y uñas, voz y pie, pero nacería de todos modos y monstruosa. También hay quien elude la fe, la justicia, y la humildad, y la caridad, y resulta a la hora de la muerte un feto enloquecido, adaptado nomás a su vida transitoria, inepto para la existencia definitiva. Entonces, el inmaduro en gracia lamentará indeciblemente no haberse habilitado de ojos sobrenaturales y de corazón divinizado, pues será un aborto que no conseguirá hallar su camino en la eternidad y apenas sobrevivirá espantosamente en aquellos climas". (p. 336, 337, 2ª ed.)

Entre los relatos acerca de sus costumbres familiares, Emma me platicó que su madre encomendaba a los hijos pequeños al cuidado de los mayores, a ella se la encargó a su hermana Bertha. Bertha Godoy se convirtió al casarse en Bertha Ochoa, y se fue a vivir a Chihuahua. Una de sus hijas, Mari, se carteaba desde niña con su tia Emma y ésta juguetona y escandalizadora la presentaba en ocasiones como "su hija natural". Al casarse, Mari se convirtió en la Señora Cárdenas.

Naturalmente Emma tuvo que ir a la escuela lo cual debió haberle resultado un terrible yugo.

En varias ocasiones la oí opinar que la escuela es pésima para la educación.

Semejante afirmación manifiesta, desde luego, su proscripción al lugar común que da por sentado que la escuela y la educación son una y la misma cosa. También expresa la reacción propia de una persona inteligente y reflexiva, frente a los convencionalismo que las mayorías aceptan y siguen "porque si" casi siempre por pereza mental. Pero sobre todo trasluce una crítica hacia los métodos didácticos que en los distintos momentos se han tomado como dogmas, y que están viciados por un concepto erróneo o parcializado de lo que es la educación.

Yo escuché personalmente cómo a unos pequeños de primero de primaria, en vez de enseñarles a comprender lo que es la suma de cantidades, les enseñaban las "tablas de sumar"; en vez de ejercitar su inteligencia, los acostumbraban a substituir el uso de la inteligencia por el uso de la memoria auditiva: "dos más uno, tres" repetían las pobres criaturas.

Emma reaccionaba contra esta mentalidad institucionalizada en la "escuela", reaccionaba contra vicios semejantes que se van substituyendo unos a otros. Sabía muy bien que la erudición es la caricatura de la sabiduría, asumía aquello de "temo al hombre de un solo libro", comprendía que el bombardeo de información es un enemigo de la cultura, porque es imposible asimilarlo todo y las mentes se convierten en ollas de grillos porque albergan en un intento de sincretismo, una gran variedad de juicios antagónicos, incompatibles y cuya pugna termina por destrozar la inteligencia y por desquiciar la conducta.

Pero también y fundamentalmente, cuando Emma afirmaba que el principal enemigo de la educación es la escuela, se refería a la sinrazón de que en un pueblo católico, la educación oficial sea laica y muchas veces anticatólica (anticatólica por la imagen que se presenta de la Iglesia, por la visión sectaria de la historia, por la concepción materialista del hombre, por la ausencia de los valores morales, etc, que se traduce en los textos oficiales de primaria, en los programas y en las bibliografías).

Cuando Emma era todavía una niña -tendría ocho años- la familia dejó aquella bellísima ciudad de Guanajuato, y se vino a residir a la no menos bella Ciudad de México. Ocuparon una casona en Popotla, de ella habla Angeles Mendieta en el artículo que incluyo en la colección de textos.

LA JUVENTUD

Un buen día Gabriela Mistral se presentó en México, fue Vasconcelos quien la invitó a venir, pues ella -Gabriela- "lo fascinó a distancia", según decía Emma. El apelativo "Gabriela Mistral" era un pseudónimo, Gabriela era una Godoy, parienta cercana de Emma. En cuanto la vió Gabriela le dijo "Emma, tú eres mía, tú te vienes conmigo". Y ella se dejó subyugar por aquella personalidad y se fue con ella a la casa que el ministro le tenía preparada en Xalapa Veracruz. Pasaba allí los fines de semana y algunas temporadas. En ocasiones tenía que pedir licencia en la escuela Normal, donde por entonces trabajaba, para quedarse con Gabriela en la capital de Veracruz. Gabriela había secuestrado también a Margarita Michelena. Así convivieron las dos jóvenes poetisas con la ganadora del Premio Nobel.

Emma subrayaba de tal modo la diferencia entre el ser inspirado y el ser inteligente, que llegaba a considerarlos como realidades opuestas y sostenía la teoría -que desde luego asombraba a sus oyentes y provocaba polémicas- de que Gabriela padecía cierto retraso mental (argüía que había sido incapaz de terminar la normal) pero que era definitivamente una "inspirada". Gabriela, relata Emma, escribía un poema, lo traspapelaba y luego no lo reconocía. Y le decía a Margarita: "este poema no es mío, debe ser tuyo", a lo que Margarita contestaba: "No Gabriela, no es mío, es suyo". Este es, desde luego, un hermoso testimonio de que a juicio de Gabriela Mistral, la calidad de los poemas de Margarita Michelena es similar a la de los suyos propios. Lo cual es muy cierto, y Emma Godoy, no perdía oportunidad para decir en público que Margarita es la mejor poetisa que conocía.

Contrariamente a la teoría de Emma, sostengo que el arte bello, la "calopoesía", es una de las grandes manifestaciones del espíritu humano, y no puede ser el resultado de la "anormalidad" de los hombres. Ciertos fisiólogos, alguno psiquiatras y una fuerte corriente de psicólogos, afirmaron que los genios son anormales y esta afirmación se convirtió en lugar común. Me parece extraño que Emma no haya reaccionado en contra de esta afirmación tan convencional como superficial.

Ella podía haber distinguido en la inteligencia humana múltiples funciones. Una de estas funciones es típicamente la penetración de las cualidades cuantitativas y su correspondiente deducción -inteligencia matemática-. Otra, la capacidad de distinguir sin separar y de unir sin confundir -inteligencia de precisión-. Otra, es la de inferir de modo inmediato -comúnmente llamada inteligencia intuitiva—. Existen además las múltiples modalidades de la inteligencia práctica, y tantas otras.

Emma estuvo cerca de este descubrimiento, pero no llegó a asumirlo y buscó la respuesta en Jung. Quienes quieran constatar esta postura, pueden releer su Biografía de Gabriela Mistral y compararla con la teoría que sostiene en *Sombras de magia*. Evidentemente que ese tipo de pronunciamientos asombrosos y poco comunes estaba en consonancia con la vehemencia de su temperamento y la categoricidad de sus juicios. A Emma nunca se le podrá acusar de tibieza. Era una apasionada. Escribía con pasión, enseñaba con pasión, respiraba emotividad cuando hablaba y aun cuando leía en voz alta. Esto la hacía cálida y empática, contagiaba su entusiasmo y establecía una comunicación rápida y sencilla con su público.

Pero entre las desventajas del temperamento apasionado sobresalen la dificultad de juzgar de modo imparcial, la tendencia a entusiasmarse demasiado pronto por las personas, la tentación de tomar partido sin suficiente deliberación y de hacer afirmaciones sin los matices necesarios.

Por tan vehemente, Emma se dejaba cautivar por ciertas personas y las canonizaba de pies a cabeza. Se dejó subyugar por Jung sin detectar que el inconsciente colectivo se opone a una recta concepción de la persona, que tal como la define Boecio es "acabada en sí misma y dividida (es decir, distinta) de las demás". Sucumbió así mismo al encanto de Platón y compartió con él, toda su vida, el disgusto por lo externo –el vestido, el arreglo– y un cierto desprecio del cuerpo y sus necesidades. Oyó el canto de las sirenas a través de la elocuencia de Antonio Caso, quien sin embargo no compartía el dogma católico, que fue siempre el compendio de verdades a las que Emma dedicó su labor magisterial y al servicio de las cuales puso su pluma.

Margarita Michelena tiene una penetrante mirada azul, y cuando la conocí sus cabellos todavía eran rojos. Es sumamente amena, sentenciosa y de juicio muy agudo. Durante una velada literaria que organicé hace tiempo, leyó unos poemas sobre sus muertos: a la vez conmovedores, bellísimos y con una rima impecable... de lo mejor que yo he oído.

A Gabriela no la conocí. Emma la describía adusta, impactante y absorbente. Doris, la secretaria de Gabriela, es la misma Doris, dedicada y angelical que describe Jacques Maritain y que cuidó a su cuñada Vera cuando agonizaba en Princenton.

Fue durante aquella temporada con Gabriela, que Emma conoció a Rosario Castellanos, que iba, lo mismo que Margarita y ella, a acompañar y a ayudar a la Mistral. Rosario fue siempre afectuosa con ella: la llamaba por teléfono, le traía recuerdos de sus viajes... pero Emma, que fuera tan mala fisonomista, lo era especialmente respecto al rostro de Rosario Castellanos, y se quejaba de no poder reconocerla y sentirse ingrata con Rosario.

Emma debía tener veinte años cuando encontró a Ila. Ambas eran vecinas de Popotla. En la casona de los Godoy, vivían con Emma sus padres y, Carmela, Aurora y Tere, sus hermanas. Carmela preparaba niños para que pudieran hacer la Primera Comunión. Ila tenía una ahijada que debía prepararse para ese acontecimiento. Así que Ila fue a la casa de los Godoy, se encontró con Emma y se inició entre ellas aquella gran amistad de la que ya hemos hablado.

Por aquellos años Aurora Casarín sostuvo también con Emma una profunda amistad. Tenía -según, contaban, pues murió muy joven- una voz privilegiada. Cuando se quedó viudo, el padre de Emma disfrutaba oyendo cantar al dueto compuesto por Aurora y por su propia hija.

Mientras que la madre de Emma era una fiel católica, el padre se encontraba bastante alejado de la Iglesia. Muerta la señora, Emma emprendió la tarea de acercarlo a Cristo. Le leía en voz alta algunas cosas que arteramente había elegido, le relataba anécdotas de un modo tan natural que parecía casual, trabajaba aquella alma con cariño y entusiasmo, y tuvo la alegría de ver cumplidas sus esperanzas cuando el señor Godoy se acercaba a la muerte.

Tere y Aurora se casaron, así que Emma y Carmela se fueron a vivir a una casa de huéspedes, en la que permanecieron dos o tres años. Más tarde Emma alquiló un departamento en la calle de Garambullo donde vivió sola cerca de cuatro años.

En 1955 Emma e Ila se fueron a pasar un año a París. Fue entonces cuando Emma hizo estudios en la Sorbona. En Francia sentía una gran nostalgia por México y explicaba, riéndose, que lo que más extrañaba era la comida mexicana. Añoraba los frijolitos, el mole, las carnitas, los tamales... tantos platillos tan deliciosos como entrañables. Durante aquellos meses maduraron la idea de construir la casa de Platanales para vivir allí juntas y a la vez independientes.

De joven, Emma no era demasiado aficionada a los animales. Cuando Ila y ella estrenaron la casa de Platanales, había un solar enfrente, al que se acercaban algunos animales y a los cuales Ila alimentaba. Fue a través de su inseparable amiga como aprendió a querer a estas criaturas sensitivas e irracionales.

Todavía habitaba el departamento de Garambullo, cuando Emma se encontró con Eva Reyes. En 1957, Eva siguió el curso que Emma dictaba en la Normal, sobre Ciencia de la Educación. Enseguida asistió al de Historia del Arte en 1958.

Eva es una persona llena de buen humor y de optimismo. Sonríe continuamente y al hacerlo muestra unos dientes muy bellos y hoyitos en las mejillas. Ama las plantas, los animales y cultiva la amistad sin escatimar el tiempo que le dedica.

Desde que se encontró con Eva, Emma tuvo en ella un fuerte y constante apoyo.

Emma tenía automóvil y manejaba, pero no era ni mucho menos una entusiasta del volante, además de ser bastante desorientada. "El mejor coche es el coche ajeno", decía, y en su caso, ese "coche ajeno", mencionado solía ser el de Eva. En el automovil de Eva viajaron no sólo por la Ciudad, también hicieron excursiones campestres. Para la fiesta de San Miguel solían visitar el pueblo de Eva, San Miguel Ameyalco, situado cerca de la Hacienda de Jajalpa, tomando por la desviación en el km. 44 de la carretera México-Toluca, entre Salazar y Amomolulco. En esas ocasiones, además de disfrutar de la ceremonia religiosa y las expresiones de la fe popular, eran agasajadas con lo exquisitos platillos del lugar. Eva atendía las visitas a los médicos y al veterinario, lo mismo que las citas para que Emma se hiciera análisis, radiografías y en general los asuntos de índole semejante.

Ajena a los puestos relevantes y a los lugares de honor, Eva se hallaba, sin embargo, al lado de la escritora en los meses de trabajo para preparar el Día Universal de la Plegaria y el Día del Anciano. Eva la acompañó a Houston cuando la desahuciaron.

Por la época en que conoció a Gabriela Mistral, Emma buscó una casa de huéspedes para alojarse unos días. La señora Casarín -madre de Aurora Casarín- le recomendó la casa de Pita Dueñas. En cierta ocasión me confesó que algunos rasgos de la Leonora de su novela, estaban inspirados en Pita, lo mismo que algunos de sus cuentos. Igual que Guadalupe Galáz, Pita Dueñas divertía mucho a Emma. Acostumbraba visitarla casi siempre para pedirle algún favor, y descubierta su torcida intención, le decía: "los nopales se buscan cuando tienen tunas".

LA JUBILACION

Emma estaba persuadida de que la vida es misión. Ella quería transmitir su mensaje, quería hacer que se oyera su voz. "Lo que yo escribo, decía, es el catecismo que aprendí de niña: lo visto con otro lenguaje y lo hago llegar, como un retransmisor, a los demás". Comprendió que debía utilizar medios más eficaces para hacerse oir, y decidió dejar el magisterio después de veinticinco años de entrega en las aulas. No quería dejar de ser maestra, por el contrario, se sentía profundamente inclinada al magisterio, pero llevado a cabo a través de la letra impresa, a través de los medios de comunicación.

Guadalupe Galáz y yo pensamos que sería apropiado hacerle un homenaje con motivo de su jubilación. Fuímos a visitar a Alfonso Junco para pedirle que dedicara un número de la Revista *Abside* -que él dirigía- para realizar dicho homenaje. Habiendo obtenido la anuencia de Alfonso Junco, nos dedicamos a llamar a algunos escritores amigos de Emma, para pedirles que escribieran algo sobre ella. El gusto que manifestaban por nuestra iniciativa, y la pronta aceptación de los miembros de ese difícil gremio, me convenció de cuánto la estimaban. Reproduzco en el Apéndice algunas de estas colaboraciones.

Para entregarle el volumen hicimos una comida en el salón de un Hotel de moda en aquellos años, a la que asistieron más de cincuenta personas, entre las cuales se encontraban, desde luego, los colaboradores: Mauricio Magdaleno, Margarita Michelena, Pita Dueñas, Angeles Mendieta, Octaviano Valdéz, Rubén Marín, Alfonso Castro Pallares, Carlos Alvear Acevedo, Margarita López Portillo, Alejandro Avilés, Antonio Acevedo Escobedo, Carlos Pellicer, Guadalupe Galáz y yo.

En aquella ocasión Pita Dueñas Leyó un cuento en el que se contrastaba con Sta. Teresita y Emma leyó su "Agradecimiento a mis alumnas", colaboración que cerraba el volumen mencionado.

Alfonso Junco hablaba de la "Jubilosa Jubilada" y aquellos fueron, en efecto algunos meses de alegría en los que, en ocasiones disfrutaba del ocio creador. Pero, ya fuera que en sus designios Dios no hubiera pensado nunca en Emma como en una escritora de tiempo completo, encerrada en su habitación con las musas ...o ya fuera que su temperamento inquieto y su capacidad de emprender la comprometieran en más complicaciones de las que hubiera querido aceptar, el caso es que el divino ocio vino a resultar en su vida algo caro y escaso, que ella, sin embargo supo aprovechar a plenitud.

La construcción de su estudio le quitó tiempo y energías y confesaba que la volvió desconfiada. Contemplaba con ánimo decaído y casi incrédula como tantos hombres faltaban a las promesas que le habían hecho y en las cuales habían empeñado su palabra: albañiles que esperaba el martes y llegaban el viernes, azulejeros que se presentaban una semana después de lo previsto pero sin herramientas, pintores, herreros, plomeros, todo retrasados, mientras ella esperaba contra toda esperanza. "También yo habría perdido la confianza en una humanidad así", le dije en cierta ocasión para seguir su broma.

Después vinieron DIVE (Dignificación a la vejez) y el INSEN (Instituto Nacional de la Senectud).

Emma hablaba constantemente de valores y procuraba transmitirlos haciéndolos vivir a los demás. Ella amaba las cosas necesarias, constantes, inmutables, imperecederas, era fundamentalmente una contemplativa, una especulativa, una teórica. En cierta ocasión rechazó una oferta para escribir en el periódico, porque ella era incapaz de atender a las menudencias diarias, a los contingentes sucesos cotidianos, cuando su interés se orientaba, por el contrario, por lo permanentemente valioso. No, me confiaba, yo no puedo escribir en un diario; (en un periódico con periodicidad diaria), tal vez pudiera escribir en un anuario (con perioricidad anual). Y sin embargo Dios la dotó de una buena inteligencia práctica -era casi plomero y electricista- capaz de discernir los tiempos. Y encontró el momento coyuntural en el que se desdibujaba la veneración por el anciano, pero aún no se había perdido. Y se dio a la tarea de rescatar la dignidad de las canas y el aprecio por la experiencia que solo la edad proporciona. ¡Bendita vejez! En 1977 fundó el DIVE y dos años después el INSEN.

Hacía tiempo que existía en México el Instituto de Protección a la Infancia. Y en contraste no existía ninguna institución oficial dedicada a los viejos. Con su proyecto del INSEN acudió a Margarita López Portillo, quien entonces tenía un importante cargo público y ella canalizó el proyecto para que cobrara vida. Era un proyecto que no necesitaba de "contactos" sino para hacer notar a las autoridades que se trataba de un instituto que supliría una carencia que había pasado, para muchos, inadvertida.

Invirtió en DIVE mucho tiempo y mucho esfuerzo. Se rodeó de los problemas más apropiados para robarle la inspiración a cualquier poeta. Pero ella, sin embargo, siguió publicando. En adelante tuvo que pensar en buscar una sede adecuada para DIVE, en pagar salarios, en sostener una correspondencia agotadora con instituciones de todos los países del mundo, en recaudar fondos, en gestionar asuntos, y en un sinfín de cuestiones de tipo semejante. Tenía que ocuparse de todas aquellas minucias cotidianas, tan alejadas del ocio creador.

Desde luego que aquello tuvo ciertas compensaciones. El gobierno de Irak le hizo una invitación especial, y se fue allá acompañada de Lidia Camarena. Le ilusionaba inmensamente encontrarse entre el Tigris y el Eufrates imaginando que ahí pudiera haber estado el Paraíso Terrenal. Desde luego sus anfitriones irakíes no comprendieron la excentricidad de aquella mujer que quería internarse en el desierto para encontrar un lugar inhóspito en el que por no haber vida ninguna, no había mosquitos siquiera. Tuvieron que hacer noche en aquellos lugares solitarios y montar allí tiendas de campaña.

Tampoco Lidia Camarena entendía muy bien el entusiasmo desbordante de Emma por "lo que pudo haber estado", en donde no había ya más que arena. Pero Emma regresó embriagada de entusiasmo tras aquella experiencia.

En otra ocasión asistió a un desayuno ofrecido por el entonces presidente de los Estados Unidos Ronald Reagan, al que le acompañó Amalita Gómez Zepeda.

Repetía que a cualquiera que quisieran colaborar con DIVE, le daría la bienvenida. Y, entre muchas personas de buena voluntad, llegaron algunos bribones. No faltaron los que vendían boletos para una función de beneficencia y se quedaban con el dinero, ni los que entregaban diez en lugar de cien mil, en fin, los que discurrían como apropiarse de buena parte de los fondos de la institución. Emma conocía la naturaleza humana. Había previsto que donde había dinero, habría problemas, por eso quería que DIVE tuviera los fondos necesarios e indispensables, para que el dinero no atrajese a los codiciosos. Quería que quienes trabajaban en DIVE lo hicieran por los ancianos, no por ambición.

Tuvo que haber sido muy duro para ella constatar que algunos colaboradores -muy cercanos- eran codiciosos y corruptos. Pero después de aquello, seguía acogiendo en DIVE a cualquiera que quisiera ayudar, y, sobre todo, seguía confiando en los demás. Prefería ser engañada que ser desconfiada.

Fue por entonces cuando tuvo la oportunidad de hacerse escuchar por millones de oyentes a través de la radio. Por aquellas fechas había sido invitada a participar en mesas redondas y entrevistas en la televisión. Pero el programa radiofónico fue para ella la feliz ocasión de proyectar su mensaje. En cada programa manifestaba, además, la alegría, y el buen humor que la caracterizaban: ese era el señuelo, la cobertura azucarada, la presentación agradable, dentro de la cual se entrega el rico contenido, mucho más valioso, pero mucho menos vistoso.

Amalita Gómez Zepeda sostenía el programa con entusiasmo, pero, siendo como es, una profesional de los medios, debía hacerlo basada en datos objetivos. Mientras más conocida iba siendo Emma, más gustado era el programa, y más público tenía. Emma y Amalita eran muy buenas amigas, y tuvieron, mutuamente, gestos entrañables. Amalita le cedió a Emma, mientras viviera, un departamento para que se instalara el DIVE.

Fue también, a través del radio, como Emma trabó amistad con Janet Arceo lo mismo que con Angeles Huerta.

Cuando la enfermedad le dificultaba a Emma transladarse a la estación, los técnicos iban a su casa con equipo para grabar.

Antes de que el trabajo de DIVE la abrumara, e inmediatamente después de jubilarse, su natural acogedor y amistoso se expresó en la organización de una serie de reuniones tan peculiares como entrañables. Redactaba la invitación a una página, con estilo pintoresco, manuscrita y multiplicada en fotocopias. Mandaba comprar tamales y atole; o bien tortillas, carnitas y refrescos. Reunía a su alrededor a personajes de letras y amigos extravagantes. Marco Antonio Millán era un asistente asiduo, lo mismo que Carlos Alvear y su esposa, Margarita Michelena, Pita Dueñas, Margarita López Portillo, Alfonso Junco, Rubén Marín, Mauricio Magdaleno.... Algunos de ellos recitaban algún poema salido de su pluma o bien leían algún cuento corto o algún pasaje de alguna novela o de algún ensayo. Pero el carácter literario no monopolizaba las reuniones; allí había de todo: anécdotas, corrillos y conversaciones fluídas y fascinantes a cargo de tantos conversadores insuperables.

LA ENFERMEDAD

Se cuentan por miles las personas que describen con fruición y lujo de detalles sus padecimiento físicos, para responder a la pregunta ¿Cómo has estado?, así que se va viendo la necesidad de recordar a la sociedad en general que esta pregunta es una mera fórmula coloquial a la que por cortesía debe responderse "Muy bien, gracias ¿y tú?"

Con Emma Godoy no había que temer el relato de los dolores reumáticos, el asma, el insomnio... Ella usaba la fórmula mencionada y la enfatizaba con su entusiasmo característico. Cuando estaba especialmente mal (sabiendo que sus amigos querían conocer realmente su estado de salud) decía "Mi cuerpo está enfermo, pero yo estoy muy bien". Lo cual era manifestación de un platonismo inocente y oportuno que utilizaba para vivir no una, sino varias virtudes (alegría, fortaleza, afabilidad, caridad)

Los primeros problemas de salud se presentaron en las cuerdas bucales. Su voz quedó amenazada cuando aún le restaba un gran trecho profesional por recorrer. Sufrió tres cirugías en las cuerdas. Sólo se quejaba de que tenía la voz tipluda y no se acostumbraba a ella, pero confiaba en que fumando lograría bajarla de tono.

Después vino la hernia hiatal. Le practicaron una operación que resultó inútil: la hernia volvió a presentarse. En la segunda intervención quirúrgica el médico de turno decidió desconectarle el nervio vago, cuya consecuencia fue el "domping" que la atormentó desde entonces hasta su muerte. Según explicaba ella misma, después de cada alimento experimentaba los síntomas característicos del envenenamiento: fuerte dolor de estómago, sudor y escalofríos. La razón era que sin la intervención del vago, el estómago vaciaba su contenido demasiado rápidamente al intestino, sin haber terminado con su parte en el proceso digestivo. Se comprende que para ella cada desayuno, cada comida, cada cena, constituía la inevitable previsión de un tormento. A partir de entonces adelgazó muchísimo; comía por deber y a pesar del dolor, consecuencia fatal de la ingestión.

Para ella el "domping" era un padecimiento tan abrumador, que cuando estaba recibiendo las radiaciones en el pulmón me comentó: "el cáncer no me molesta, lo terrible es el domping". Y lo sobrellevó, sonriente, durante quince años.

Después de estas operaciones tenía el esófago destrozado, para reconstruirlo hizo falta una tercera intervención, que le practicaron en Houston.

Poco después le diagnosticaron osteoporosis en la columna vertebral. La cama en la que dormía y en la que trabajaba, una cama con la cabecera trabajada en oro de hoja, tuvo que ser reemplazada por una cama ortopédica, por medio de la cual le pusieron pesas en las piernas para aliviar su dolor, pero también para contribuir a él con semejante atadura.

Más tarde, a través de agudísimos cólicos renales descubrieron que tenía cálculos en el riñón. La intervención en esa ocasión, no tuvo que ser cirugía mayor: bombardearon los cálculos con rayos láser, con lo que ella llamó “la tina mágica”.

En febrero de 1989, la División Internacional de Posgrado del Ateneo Filosófico le otorgó “ex officio” el doctorado en Humanidades. Como Rectora de la División yo hice la entrega de la distinción. La encontré en pésimas condiciones de salud. Le rogué que se fuera a Houston a consultar al médico de su confianza. Me prometió que lo haría, pero no determinó la fecha. Amalita Gómez Zepeda la apremió y se fue a Texas a los pocos días.

Fue entonces cuando le diagnosticaron el cáncer de pulmón. Había que extirparle el tumor. Se sometió de nuevo a la cirugía mayor, casi extenuada. Y no quiso que nadie la acompañara, parecía vivir el lema de no molestar a nadie, Ila no podía estar con ella, porque su vista es ya muy precaria y es una anciana con pocos recursos físicos. Rehusó las propuestas de sus hermanas y de sus amistades. Y estuvo una semana sola en un hospital en el extranjero en “cuidados intensivos”.

Después de la operación los médicos le dieron esperanzas. El informe escrito decía que si reaccionaba bien a las radiaciones, podía tener una larga vida. Se sometió a las radiaciones. Eva como un ángel guardían la llevaba a aquellas sesiones. La osteoporosis volvía a hacer de las suyas y la parálisis la iba invadiendo. Cualquier movimiento se le hacía difícil, lento y doloroso. Y no permitía que la tocaran, porque el mínimo contacto no gobernado por ella, la hacía padecer mucho más. En el automóvil los baches, los bordes y ni que decir de los “topes” la hacían gritar de dolor. Eva sufrió mucho durante aquellos meses, compenetrada como estaba con su amiga. Eva conocía profundamente a Emma, sabía lo recia que era, la había visto en múltiples ocasiones sobreponerse al quebranto físico, y sabía lo que significaban aquellos quejidos irreprimibles.

Parecía que no podía padecer más. Pero Cristo había dispuesto para ella unos dolores de cabeza intensísimos. Me confió -más inconforme que desalentada- que un médico al que consultó le diagnosticó tensión, explicando que ella inconscientemente se negaba a morir. "No es así, me comentó, mi madre me enseñó que la vida es misión y que la muerte es gloria; y acepto morir, quiero ver a Dios. Conscientemente no quisiera morir: tengo un libro sin terminar, pendientes urgentes en DIVE.... pero incoscientemente si estoy dispuesta. No puede ser tensión debe haber algo..." Le volví a rogar que se fuera a Houston, aunque la veía tan mal que no creía que pudiera hacerlo. No tuve que insistir mucho, aquellos dolores de cabeza no la dejaban vivir. No obstante conservaba la esperanza. Una antigua amiga suya, le tenía preparado un homenaje en Guanajuato, su tierra natal. Pero ella no le quería dar fecha sino hasta librarse de los dolores de cabeza. "¿Cuándo vaya, me acompañarás?", me preguntó. Le prometí que lo haría.

En esa última ocasión no pudo irse sola, como hubiera querido. Eva, a su lado como siempre que la necesitaba, se fue con ella.

El resultado no pudo ser más desconsolador. El tumor canceroso había invadido el otro pulmón y obstruído la ahorta -eso explicaba el dolor de cabeza. Sus días estaban contados, los médicos le sugirieron que regresara a México enseguida. No había nada que hacer contra sus dolores de cabeza, sólo le recetaron analgésicos.

Eva y Guadalupe Galáz -quien había ido a Houston por otras razones- fueron testigos de su cristiana aceptación de la muerte. Continuó serena y alegre, pero cambió su actitud: no se resistió, se entregó en brazos de su futuro, un futuro de eternidad con Dios. "Ahora entiendo el por qué de los dolores de cabeza, le dijo a Eva, me faltaba compatir con Cristo la corona de espinas."

Emma quiso morir en su casa, lo más lúcida posible, esperando el momento más importante de su existencia en vela, con su lámpara ardiente para recibir al Esposo.

Guadalupe Galáz le pidió a Eva los pasajes aereos para confirmarlos. Lo hizo, en efecto, pero los cambió por unos de primera clase, para que Emma pudiera volar con menos incomodidad. Fue un gesto de generosidad y de delicadeza muy propio de Guadalupe.

Dos amigas de Emma, las profesoras Nava y Chong, se ofrecieron para acompañarla durante algunas horas cada día, el resto del tiempo estaba con Ila y con Eva.

Nunca le gustó que la vieran enferma, en aquellos momentos suplicaba que no la visitaran. Un poco antes de salir para Houston, Margarita López Portillo la llamó por teléfono anunciando que iría a verla. Aquello llenó a Emma de alegría, quería entrañablemente a Margarita. Para recibirla se pintó los labios, y en medio de su gravedad se rehizo, conversando y riendo: mostrando, como ya lo había hecho muchas veces, que el espíritu se sobrepone a la materia.

A Margarita solía llamarla mi Márgara y a su hija, Pilar Cordero, mi Pili. De Pili decía que era tan buena y tan sin malicia como Santa Teresita. Aquella gran amistad con Margarita y con Pili fue interrumpida por un desafortunado suceso. Los reporteros de cierta revista le pidieron cita a Emma para entrevistarla sobre determinado asunto, acerca del cual ella se preparó, pero al terminar aquella plática abordaron el tema de los López Portillo...

Para que se pueda comprender la actitud de Emma, hay que recordar que era una escritora celosa de su libertad para opinar sobre política y consciente de su deber de no callar y de no permitirse compromisos que pudieran silenciarla. Durante el sexenio de López Portillo, Emma siguió la amistad con Margarita más bien a pesar de que era hermana del Presidente. Emma siempre había criticado ciertos defectos del PRI, y entonces siguió haciendo lo mismo. Por su parte Margarita, durante ese sexenio le demostró patentemente su amistad. A lo largo de la entrevista mencionada, los reporteros le hicieron unas preguntas maliciosas y ella contestó lo que honestamente pensaba. Lo prudente hubiera sido callar, por razón de la amistad, lo que, por razón de su oficio le saltaba a los labios. Pero aquello tal vez se le presentó como un imposible; para ella toda pregunta era un reto y estaba persuadida de que los intelectuales tenían la obligación de señalar los errores que obstaculizaran el bien común. Sus declaraciones produjeron el inevitable rompimiento.

Pero la amistad fue más fuerte que las vicisitudes y que la debilidad humana. Y Margarita tomó la iniciativa cuando supo que su querida Emma estaba sentenciada a muerte. Pili, hizo otro tanto: tenía que someterse a una cirugía mayor, y la retrasó porque quiso estar al pendiente de Emma durante aquellas últimas semanas. Pili casi obligó a Emma a recibir a una enfermera de día y otra de noche, para que la atendieran cuando su estado ya era grave. También consiguió que un médico la visitara todos los días para hacer las indicaciones pertinentes sobre la administración de analgésicos, suero, oxígeno, etc.

Ila, Eva y las profesoras Nava y Chong la acompañaban constantemente.

Carmela Godoy dejó su domicilio y se trasladó al estudio de Emma, en el tercer piso de la casa. Carmela es mayor que Emma, y semejante cambio en sus costumbres supuso para ella un sacrificio, pero quería estar, en aquellos momentos, cerca de su hermana pequeña. Un año atrás inició la costumbre de comer con ella y con Ila dos domingos al mes.

Emma recibió todos los auxilios sobrenaturales y le administraron dos veces la Unción de los Enfermos (ella prefería llamarla Extremaunción, tal como lo aprendió en su catecismo de Ripalda). La segunda vez este sacramento lo recibió de manos de Mons. Ernesto, el Cardenal Corripio, quien como dulce Pastor la visitó personalmente en nombre de Cristo.

Siempre quiso morir a la hora del crepúsculo y su deseo fue cumplido. Su agonía se inició en el crepúsculo y exhaló el último suspiro al caer la noche.

LAS VIRTUDES DE EMMA

Dueña de una gran vitalidad, Emma escribía, hablaba por radio, dirigía DIVE, dictaba conferencias, platicaba sin respiro y entablaba relaciones con cualquiera que se le acercara.

Físicamente parecía una mujercita débil. De pequeña estatura, delgada y fumadora empedernida.

Era, pese a su apariencia, una de las personas con más fortaleza, que yo haya conocido.

La virtud de la fortaleza consiste en el control racional de las llamadas pasiones irascibles: esperanza, desesperanza, miedo, audacia e ira.

En alguna ocasión Emma afirmó que nunca había sentido miedo. No le temía a los ladrones, ni a los accidentes, ni a la mesa de operaciones... pero temía al demonio, el gran enemigo, "el príncipe de este mundo", por lo que se puso bajo la protección de San Miguel, cuya imagen colocó en el punto más alto de su casa. Tenía miedo a lo que verdaderamente había que temer.

Por el contrario, era espontáneamente audaz y sabía que tenía que cuidar de no caer en la temeridad.

De natural optimista y con el azar de su parte, esperaba los triunfos y se coronaba con ellos, Pero no tenía la ambición de triunfar. Podía haber aspirado al Premio

Nacional de Literatura o a la membresía de la Academia de la Lengua, pero no se preocupó por no haber alcanzado esas cimas. "Para mi vanidad, solía decir, sólo gasto lo correspondiente al precio de dos periódicos (para guardar los recortes) pero más no."

También sabía manejar la desesperanza. Si algún proyecto le parecía inaccesible, o si juzgaba que requería demasiado esfuerzo en relación con su rendimiento, lo abandonaba sin preocuparse más de él. Cuando supo que había de morir, se abandonó a la voluntad de Dios sin falsas esperanzas.

Su carácter era más bien apacible. No tenía que reprimir arrebatos de ira. Al contrario, tenía que fomentar su indignación, ante la injusticia, la mentira, el error y la traición a los principios. Iracunda con santa indignación escribió la Carta al Obispo de Puebla; Con ira reaccionó ante la propaganda en favor de los anticonceptivos que emprendió una revista en la que ella colaboraba, y la demostración de aquella indignación fue su renuncia.

Era una mujer realmente valerosa con un gran espíritu combativo en favor del bien.

Las dos funciones de la fortaleza son el combatir y el resistir, y, contra lo que pudiera parecer, muestra más fortaleza -porque es más propio de esta virtud- el que resiste, que el que combate.

Y resulta conmovedor recordar como Emma sobrellevó la enfermedad durante años sin quejas, con alegría y dulzura, y sin dejar de producir para el bien la verdad y la belleza.

Entre las virtudes cardinales, quizá la más sobresaliente en Emma, después de la fortaleza, fue la justicia.

Vivió con esmero la religión -parte de la justicia, que consiste en dar a Dios lo que le corresponde- asistía a la celebración de la Misa cada domingo y fiesta de guardar, se confesaba y comulgaba periódicamente. Relataba que cuando el sacerdote le preguntaba si se arrepentía de sus pecados, ella le respondía que no "no, Padre, mis pecados estuvieron muy buenos, de lo que me arrepiento es de haber ofendido a Dios". Siguiendo por este derrotero añadía que el único pecado que no le parecía bueno en sí mismo, era el de hablar mal del prójimo.

Su vida sacramental y piadosa eran tan sencillas como la de cualquier otro feligrés de su parroquia.

La veracidad -también integrante de la justicia- fue para ella casi más que una virtud, una consigna.

Detestaba los eufemismos. Días antes de morir Eva contestó el teléfono en su habitación y a una pregunta de su interlocutor respondió "está delicada"; Emma, con la poca fuerza que le quedaba, levantó la voz para corregir: "no estoy delicada, agonizo".

En este esfuerzo por esquivar los eufemismos y por no desvirtuar los hechos, a veces se expresaba con cierta crudeza. Su pluma no eludía los temas fuertes, pero los enjuiciaba a la luz de la ley moral más pura.

Esto le valió el cumplido de un crítico literario que la consideraba "una mujer que escribe como hombre".

El agradecimiento es otra virtud filial de la justicia. Y a Emma, como a Santa Teresa, se la ganaba con una sardina (en sentido estricto, con una sardina no, porque aborrecía el pescado y aun los mariscos).

Lidia Camarena le ayudó en DIVE durante una temporada. Estuvo encarcelada varios años y durante todo ese tiempo Emma no dejó de visitarla y de apoyarla de diferentes modos. Fue entonces cuando aprovechó aquellos desplazamientos a la cárcel para darles conferencias a los presos. Tratar con los presos fue para Emma una encantadora experiencia. Descubrió en ellos muchas cualidades acrecentadas por la circunstancia de su reclusión: "hombres con tiempo para meditar, comentaba Emma, ¡qué maravilla!"

Margarita le brindó una amistad profunda y llena de delicadezas, cuya sinceridad se confirmó cuando al llegar a la cumbre política, mantuvo con Emma el trato cariñoso, cordial y sencillo de siempre. Emma mostró con creces su agradecimiento al escribir "Margarita y los días de la voz".

La virtud de la piedad -veneración a los padres- y de la observancia -respeto a los superiores- las aplicó inteligentemente en DIVE.

Fue espléndida con los pobres y los enfermos. Magnánima en sus proyectos. Carente de celos y de envidia, amable, cordial y confiada. Confiada a pesar de los pesares. Y la confianza consiste en no pensar mal de los demás, es entre las versiones del "dar a cada cual lo que le corresponde", la más fina y la más interior.

Su espontánea alegría la hizo virtud. Justicia vivida con ella misma y con quienes la rodeaban. Emma disfrutaba con todo y contagiaba entusiasmo. Paladeaba los bienes más insignificantes y compartía sinceramente los gozos y las alegrías de los demás. Festejaba los méritos profesionales de sus colegas sin sombras de envidia, sin ningún tipo de "celos profesionales".

Muchas veces le oí contar la anécdota de las burbujas. Una de las primeras veces que fue a Houston compró un detergente muy concentrado, pero no lo advirtió gracias a sus limitados conocimientos del inglés. Así que vació el frasco entero en el lavabo del baño para remojar unas prendas, y contempló estupefacta como la espuma crecía y se multiplicaba sin detenerse. Desbordó el lavabo, inundó el baño y avanzaba de modo amenazador por la puerta de la habitación, ya sobre la alfombra. "Entonces recordé -relataba- que Lucero dice que el filósofo puede resolver más problemas de los que supone, a través de las causas de la eficacia. Así que me senté en la cama y me puse a filosofar. ¿Cuál es la esencia de la espuma?, y me respondí enseguida: lo efímero es al menos su accidente propio. Es propio de la espuma desvanecerse casi tan pronto como aparece. Así que -terminaba- me fui de compras, y cuando regresé el problema se había desvanecido, gracias a la "Filosofía de la Eficacia".

Encomiaba la poesía de Pita Amor, aplaudía entusiasmada los pasajes leídos por Rubén Marín -eran si mal no recuerdo de "La basura y el viento"- festejaba los curiosos comentarios de Pita Dueñas. Para todos sus colegas tenía frases elogiosas y estimulantes.

Cuando patinando en hielo me fracturé una cadera, me telefoneó y me preguntó con su humorismo encantador "¿no sabes que lo peor para la salud es el deporte?"

A veces sucede que si las vidas ejemplares se escriben sólo en positivo, quienes las leen se sienten incapaces de seguir tan inmaculado ejemplo.

Por eso, voy a referirme también a ciertos borrones y enmendaduras propias del genio y la figura de mi entrañable amiga.

Emma era desconfiada si se trataba de detalles nimios. Le gustaba ser obedecida de inmediato, y, pese a lo tolerante que era con las personas, se mostraba impaciente o irritada si alguien se permitía demorar o tergiversar una orden suya. Se encolerizaba si alguien modificaba sus mandatos bajo el pretexto de aplicar su criterio: por eso solía dar indicaciones escritas.

Era indiscreta: incapaz de guardar un secreto y aficionada a enterar a medio mundo de lo que llevaba entre manos. Suponía que con semejante estrategia sus amigos tendrían elementos para reorientar a quienes no siguieran fielmente sus indicaciones.

También era golosa. Le gustaba comer a base de antojos. Era remilgosa con los alimentos que no la atraían e insaciable con sus platillos favoritos. Cuando los médicos le prohibieron la carne de cerdo, alegaba que le habían vetado el puerco, no las "carnitas". En cambio nunca le atrajeron las bebidas alcohólicas, se mareaba con mucha facilidad, y sólo bebía los licores de gusto infantil: licores (de menta cacao, café) y rompope.

No me atreveré a bordar sobre las virtudes teologales, tan divinas y misteriosas, exclusivamente infusas y tan difíciles de aquilatar. Lo prudente es hacer sobre ellas sólo un pequeño bosquejo.

Su fe era recia, tradicional, muy ilustrada, pero sencilla. Era conmovedor saber cuán documentada estaba sobre los "Vedas" y la historia de las religiones, por ejemplo, cómo conocía la Biblia, y sin embargo cómo hacía referencia a su catecismo del Padre Ripalda como a un argumento de autoridad.

Su esperanza fue incondicional. Sabía muy bien que para quien ama a Dios, por frágil que sea, si se arrepiente de sus faltas, la muerte es gloria.

Sabía muy bien que la Caridad es formalmente amor a Dios y materialmente amor a Dios por Dios, amor al prójimo por Dios y amor al propio yo por Dios. Nunca perdió de vista el carácter vertical de la Caridad, y, estoy segura de que amaba a Dios sobre todas las cosas.

LO QUE REFLEJA UN TESTAMENTO

A lo largo de su vida Emma hizo tres testamentos:

En el primero redactado en 1965, nombró heredera universal a Ila Rojí, y en su defecto a Eva Reyes, en el segundo a Emma T. de Gallardo y en el último a Mari Ochoa de Cárdenas.

En mayo de 1989 redactó sus "instrucciones testamentarias" todavía dirigidas a Emma Trillanes de Gallardo su heredera universal y albacea en el segundo testamento.

Sucedió que Emma Godoy vendió el último de los condominios de su edificio de Tanana, y lo vendió todavía ocupado por los inquilinos anteriores y con el pleito correspondiente -desde luego con conocimiento y consentimiento del comprador, que fue Ma. Elena Esquivel Camacho-. Emma Gallardo previó el problema. Emma Godoy ya había recibido el dinero del comprador; si por alguna circunstancia había que devolver ese dinero ¿cómo se iba a resolver el caso? puesto que en las instrucciones testamentarias ya todos los valores de Emma Godoy tenían legatario.

Emma Gallardo aconsejó a Emma Godoy que redactara un nuevo testamento en el que legara a su dueña Ma. Elena Esquivel el condominio que le había comprado y también que a ella la relevara de ese "honroso" encargo de ser su heredera universal.

Así Emma Godoy tuvo que hacer un nuevo testamento el 6 de julio en el que nombró heredera universal a Mari Ochoa de Cárdenas y albacea a Carmela Sánchez de Pérez, y en el que legaba a sus dueños los condominios mencionados.

La principal heredera de Emma fue la Iglesia. Emma e Ila hicieron cesión del edificio de Platanales para que una vez que ambas murieran fuera ocupado por sacerdotes ancianos. Esta cesión quedó fuera del testamento.

Aunque dentro de las disposiciones testamentarias, en vida, Emma entregó a la Iglesia la parte subtancial de sus ahorros. Dentro de las instrucciones testamentarias, destinó el oro -que guardaba en la cómoda de su recámara- para la iglesita de San Miguel Ameyalco, el pueblo de Eva Reyes.

Así heredaba lo más valioso de sus propiedades, a la Iglesia.

Añade en sus instrucciones testamentarias que todas las cosas de la casa de Platanales son también para los sacerdotes ancianos: "muebles, lámparas, estufa, refrigerador, vajilla, ropa de cama, mangueras, cubetas, trastos de cocina, instrumentos musicales incluyendo el órgano. También el telescopio".

Emma consideraba justamente que las regalías de sus libros podrían ser un estímulo para que su mensaje escrito permaneciera vivo. Y dispuso que una parte de esos estímulos los recibiera Consuelo Sáizar, gerente de la Editorial JUS, quien ya había mostrado con creces su capacidad de promover no solo las obras de Emma, sino la Editorial misma.

Alfonso Junco decía que la JUS realizaba un trabajo

industrial tan perfecto (impresión nítida, ausencia de erratas, etc.) que luego guardaba sus libros como recuerdos de familia. Consuelo corrigió las carencias en la distribución y le dio un nuevo impulso a la editorial.

Otra parte de esas regalías las legó al Ateneo Filosófico, una Institución cuya finalidad es destacar la labor de los pensadores cuyo pensamiento es realista y positivo. Emma recibió algunas distinciones de parte del Ateneo Filosófico, y supo que era la institución idónea para mantener sus obras en el mercado, a través del estímulo de las regalías. Desde luego ella no le puso condiciones ni a Consuelo Sáizar ni al Ateneo Filosófico, pero la razón de esta determinación fue la anteriormente apuntada.

Emma no distribuyó sus bienes en función del cariño. Quiso que aquel dinero o aquellos bienes sirvieran a quienes los necesitaban y a aquellos en cuyas manos iban a redituar.

La persona a quien Emma más quería: Ila Rojí, no recibió nada en su herencia. Tampoco Margarita López Portillo, ni Margarita Michelena, ni yo, y a mi me quería mucho.

La biblioteca se la dejó a Pilar Cordero, a "mi Pili" como la llamaba y con la que había colaborado tanto en ASEC como en el CUDECH.

El dinero de sus cuentas bancarias en México (cuyas firmas tenían Eva Reyes y el Padre Melgoza), restando los honorarios de la albacea, lo legó, precisando claramente los porcentajes a: su hermana Carmen Godoy, su sirvienta Ofelia Alejandre, Esther Hidalgo, Ita Osorno (refugio Fraciscano), Sra. Morales para animales, Eva Reyes para animales, Profesoras Nava y Chong para animales.

Es muy propio del cristiano el tener amor por todo, porque todo lo que es, es criatura de Dios. Y los animalitos constituyen un muy valioso modo de participación, una expresiva y singular manera de imitar las perfecciones divinas. La vida sensitiva es digna de ser amada, y los sufrimientos animales, aunque en el modo y en la intensidad son específicamente distintos de los humanos, deben ser compadecidos y evitados en lo posible. El porcentaje del dinero de los bancos, destinado al cuidado de los animales es una muestra de la sensibilidad de Emma, y un testimonio de que no sólo fue maestra, sino que estuvo abierta a aprender muchas cosas de los demás. En este renglón se muestra fiel discípula de Ila Rojí.

Los aparatos electrónicos los deja a los sacerdotes, y "si no los quisieran" a los asilos de ancianos pobres.

Las herramientas a Rosa Ma. Nava. Las alhajas y los dólares en efectivo a Janet Arceo. Las pinturas de Sofía Basi, grabados de Siqueiros y otros a Eva Reyes. Discos y casettes a Eva Reyes y a los profesores Nava y Chong. Ropa, zapatos, paraguas, medicinas, al bazar parroquial, Máquinas de escribir y coser a "Protección a la Joven" (madres solteras).

Aquí se impone un comentario. Emma sostuvo, como buena cristiana que era, que había que odiar el vicio, pero amar a la persona viciosa. En cierta ocasión dijo que gran parte de las soluciones a la explosión demográfica en México estaba, no en la propaganda de los medios artificiales para controlar la natalidad, sino en evitar que hubiera hijos fuera del matrimonio o madres solteras (por medio de alguna legislación que las penalizara -también a sus parejas- por ejemplo, o bien a través de otras estrategias).

Detestaba la lacra social que son las madres solteras, pero amaba a las personas que habían cometido el error de serlo.

Plumas fuente a Consuelo Sáizar y Maricel. Automóvil a Carmen Godoy. Grabadoras excepto la grande, repartirlas entre sobrinos y profresoras Nava y Chong. Relojes de pulso a las monjas de asilos de ancianos. Relojes de pared para sacerdotes de Platanales. Albumes de la vanidad y de fotos a Guadalupe Galaz. Escritos e impresos sobre ancestros de la familia Godoy a Cecilia Escalante. Equipo fotográfico a las profesoras Nava y Chong. Varios: Copas de cristal rojas a Mari Ochoa de Cárdenas. Cubiertos con baño de oro para Cristina Mata. Adornos, cafetera eléctrica, aspiradorcita, portafolios, etc. todas esas chucherías que mi familia las tome o disponga de ellas. Caja fuerte para el Padre Melgoza. Calentadores de petróleo a sacerdotes de Platanales.

Estas instrucciones testamentarias fueron mecanografiadas por Cristina Mota a quien Emma le pidió que pasados unos meses después de su muerte, llamara a los legatorios para cerciorarse de que su voluntad se había cumplido.

Por instrucciones de Emma, Eva Reyes se encargó de hacer un añadido manuscrito a las varias copias que tenía de estas instrucciones. Este añadido manuscrito se refería a seis mil dólares que Emma debía al Ateneo Filosófico, pues los había prometido para que a su muerte se estableciera una cátedra en su nombre. Dispuso que se tomaran de los dólares de su cómoda. Hizo que Eva escribiera esto (tres renglones) en cada una de las copias. Luego Emma firmó al calce cada una de ellas.

Posteriormente, a principios de la semana -lunes 24 o martes 25- Emma le pidió a Eva que tachara los renglones en que se destinaban dólares de la cómoda para el Ateneo Filosófico, pues ya se los había remitido por otra vía, y Eva así lo hizo. Además de esa leyenda manuscrita, Emma había insertado línea y media en la página 3, que decía "Cubiertos con baño de oro (cómoda de la sala) en estuche de madera, Para Mª Cristina Mata", y había escrito también de su puño y letra en la pag. 4 "-Seguro de vida como maestra y lo que se me deba, para mi hermana Teresa".

Al final, dirigiéndose a la heredera universal dice: Mil gracias, por todas estas molestias; pero piensa que les vas a dar alegría a muchas personas.

LA HERENCIA ESPIRITUAL

"Si el grano de trigo muere, produce mucho fruto"

Cuando se ha estudiado lo que es la causalidad, se comprende que aunque a veces nos abruma el espectáculo del mal en el mundo, en realidad el bien sobreabunda al mal. Apuntemos sólo dos razones: en primer lugar esto es así porque para que se de el mal, se tiene que dar un sujeto, y ese sujeto, ya que existe, en ese sentido es bueno (el mal no tiene forma, no tiene substancia, es carencia de lo que debiera haber); para que se de la ceguera (mal) se tiene que dar un sujeto, (bien) que puede ser un gato, un pájaro, un hombre. En segundo lugar, porque el bien causa el bien.

Así la virtud engendra virtud. Cuando muere una persona virtuosa suelen darse a su alrededor actitudes y comportamientos encomiables.

Consuelo Sáizar estuvo en el funeral de Emma y acompañó los restos al Panteón. Mientras duró la cremación, entonó canciones apropiadas para el momento, una tras otra, mostrando una gran entereza, mientras consolaba a Maricel. Pagó a nombre de JUS los gastos del funeral y la cremación y volvió para que se le entregaran las cenizas al día siguiente.

Como en la ceremonia de cremación no estuvo presente ningún miembro de la familia Godoy, fue Guadalupe Galáz quien firmó la autorización para la cremación, "Emma me compromete hasta después de muerta", me comentó con el poco humor que le quedaba en aquél duro trance. Estuvieron allí Ila, desde luego, Amalita Gómez Zepeda, Pili Cordero, Janet Arceo, otras personas para mi desconocidas y mucha gente del pueblo que la lloraron incansables. Durante el funeral, un hombre humilde se acercó al féretro y le dejó una cajetilla de cigarros.

Media docena de caballeros montaron la guardia de honor, entre ellos estaba Dn. Juan Landerreche, Presidente de la JUS.

Había en el velatorio una multitud incontable que atestó las dos grandes salas que fueron destinadas para velarla y el amplio vestíbulo. Además había personas en las escaleras, tanto en las que subían como en las que bajaban. Cuando sacaron el féretro, el pueblo le aplaudía, le cantaban y la vitoreaban. Al día siguiente de morir, Janet Arceo dedicó un programa radiofónico con dos horas de duración a la recién desaparecida Emma.

Durante la semana siguiente se le hicieron varios homenajes: uno de ellos organizado por Blanca de Flores y otro por Pita Amor. Se hicieron presentaciones de su nuevo libro "El secreto para amar". Y se estableció la Cathedra Emma Godoy in Memoriam, en el Ateneo Filosófico.

Para dicho establecimiento se leyeron algunas de las semblanzas publicadas por mi iniciativa y la de Guadalupe Galaz, quince años atrás, de las cuales reproduzco algunas en el apéndice. Pero Margarita López Portillo no quiso leer la antigua, sino que redactó una nueva que trasluce el gran cariño que hubo entre ella y Emma, y su sincera reconciliación (documento que también reproduzco en el apéndice).

Después del funeral, no volví a encontrarme con Consuelo Sáizar sino hasta el mes de noviembre, con ocasión de la estancia de Carmela Pérez de Sánchez, albacea de testamento de Emma, que venía para finalizar las gestiones y para que así Mari entrara en posesión de la herencia, Nos reunimos a desayunar en el hotel en el que se alojaba Carmela Pérez, Eva Reyes, Maricel, Consuelo, la propia Carmela, por supuesto, y yo.

Consuelo nos dijo que ella ayudó a Emma en su vida y promovió sus libros sin ningún interés de que le hicera ningún legado. No quería que se pensara que estaba interesada en el porcentaje de las regalías que Emma le había destinado, y por eso no se había presentado antes en los distintos homenajes que se le hicieron a Emma. Nos hizo saber además, que seguiría promoviendo las obras de Emma con todo entusiasmo porque así se lo había prometido a ella. Esto me pareció un gesto de desinterés tan loable como elegante.

Consuelo es una mujer joven, morena, de espesas cejas y abundantes cabellos, llena de vida, entusiasta, eficaz y sin afectaciones. Hace algunos años le sugirió a Emma que podrían abrir el desfile del Día del Anciano, ellas dos en su motocicleta, Consuelo al volante y Emma tras ella, bien abrazada a su cintura. Así lo hicieron y Emma comentaba que era el emblema de la juventud y la vejez unidas.

Carmen Sánchez de Pérez es una regiomontana de elevada estatura cabellos rubios y ojos verdes. Abuela y recientemente viuda. Emma le confesó que le pedía a Dios que se quedara viuda, para que se pudiera encargar de DIVE, aclarando que no pedía que se muriera su marido, pedía solamente que Carmen se quedara viuda. Hay que decir que Carmen ha trabajado seria y eficazmente por DIVE no solo en Monterrey, sino en todo Nuevo León. Emma la nombró albacea en su testamento. Carmen consiguió que una calle, en Monterrey, llevara el nombre de Emma y ahora gestiona que se le reconozca de diversos modos.

Durante el desayuno, Carmela nos hizo saber que había recibido tres millones y medio de pesos como honorarios de albacea -además del correspondiente pago de sus gastos por los viajes que tuvo que hacer a México- y que esa cantidad se la había cedido a Eva, de modo que Eva recibiría un cheque por ocho millones, cuya suma era el legado de Emma sobre el porcentaje de sus ahorros en los bancos de México, más los tres millones y medio que Carmela añadió.

Ese día era domingo y las legatarias del dinero en pesos mexicanos estaban citadas en casa de Emma aquél día a las once. Carmela quiso que también Consuelo y yo asistiéramos a la reunión ya que repartiendo el dinero de los bancos mexicanos solo restaban dos asuntos: el asunto de las regalías (que afectaban a Consuelo y al Ateneo filosófico al que yo represento) y el del oro cuyo destino es la Iglesia del pueblo de Eva.

Debo decir que el departamento de Emma se convirtió en las nuevas oficinas de DIVE. Así la sala comedor se transformó en sala de conferencias, mientras que en el desayunador se instaló Bertita, la secretaria de DIVE, con su máquina de escribir, su teléfono y sus papeles. Pero Ila quiso que su habitación se conservara tal y como estaba.

Consuelo no había vuelto a la casa de Emma desde que ella muriera. Entró a su habitación y no pudo conservar la serenidad. Lloraba y gemía como una niña. Estuvo allí junto a la cama de Emma, acompañada de Ila, un buen rato.

A estos relatos hay que añadir los ya mencionados sobre el retraso de la operación de Pili, los cambios de planes de Eva y su entrega absoluta a Emma durante aquellos meses, la reconciliación de Margarita, el cambio de domicilio de Carmela, los desvelos de Ila y otros sucesos semejantes.

El mensaje de Emma Godoy sobre la naturaleza y el valor de la vejez han calado bien hondo y han trascendido las fronteras de México.

Su insistencia en el aprecio de los valores de lo bueno, de lo verdadero, de lo bello, de lo divino, van permeando las capas sociales, a través de su cátedra, de sus escritos y de sus programas radiofónicos.

Emma ha tenido la gracia de verter en un lenguaje asequible y agradable, el contenido del Evangelio. A pesar de sus defectos, personales, dedicó su vida a proclamar por todo el mundo la Buena Nueva.

Pero su mejor herencia fue ella misma, como persona generadora de su obra, como mujer que encarnó un modelo, como cristiana que encontró un modo genuino y amable de imitar a Cristo.

APENDICE

PRESENCIA-NIÑA DE EMMA

Por Angeles Mendieta Alatorre

I

Ennoblecer las palabras. Parece un poco extraño rescatar para la alabanza textos ajenos al rejuego de lo morboso, considerado hoy día como sinónimo de originalidad; escritos leales al oficio literario en su doble quehacer de ennoblecer las palabras y rechazar la tentación ominosa de caer en el hermetismo, la agresividad y todo lo que pueda añadirse a la violación de la palabra traicionada.

Digo esto porque Emma Godoy en su soledad -ajena a gritos y desafueros- conlleva la dualidad de estar presente y ausente de las letras mexicanas: ausente, por negarse a entrar en la aquiescencia deleitosa de lo efímero -moda, intrascedencia de lo superficial-, y presente, por haber alcanzado una alta calidad que nadie puede negarle.

Como "mujer pentafácica" podría ser calificada, haciendo paráfrasis al rubro de su novela, porque si a ella la conmovió la visión de la cabeza pensativa junto a las llamas de la capilla pintada por Orozco en Guadalajara, así también su tarea se ha quintuplicado en el ejercicio el ensayo, la novela, el comentario moral, la investigación filosófica y el magisterio, a lo cual se añade una nota distintiva: la preocupación de beneficiar los textos literarios con el conocimiento reflexivo de la filosofía enriquecida del pensamiento oriental.

II

Elegir es renunciar. De las personas y las cosas se nos quedan siempre hilos tejidos en el recuerdo; así, de Emma Godoy viene a mi memoria su presencia-niña en un barrio devorado hoy por la gran ciudad de México y el tren metropolitano.

Lo importante de esta añoranza es advertir la curiosa similitud que guarda la transformación o desaparición virtual de ese lugar con la propia personalidad de Emma Godoy, pues ella también se fue desprendiendo de aquella estampa familiar, frailuna y recatada, hasta ser lo que ha querido ser -a fin de cuentas "elegir es renunciar"- de tal suerte que hoy por hoy aquel barrio ya no es en modo alguno lo que fue, ni Emma tiene nada que ver con aquella su niñez amada.

Ella, a quien por algún lado tenía que dolerle esto, lo escribe al hablar de la personalidad literaria:

"Pese a que el arte es la más entrañable forma de comunicación, un foso de soledad aísla a las fuertes personalidades artísticas. Cuando la obra de un creador de belleza es original, cuando difiere realmente de aquello a que el público está acostumbrado, apenas consigue despertar interés en reducidos círculos selectos. En ocasiones ni eso siquiera: las altas voces resuenan soledosas como un simún ardiente en los desiertos, sin que alguien preste oídos a su telúrico mensaje... Se le persigue desde niño. Con frecuencia alarma a los padres ver que desarmoniza entre su prole un hijo 'distinto', un 'patito feo'. Se empeñan, pues, en limarle lo diferente, practicándole -con la mejor voluntad del mundo- sangrientas cirugías en el alma, igual que si se tratara de un giboso. A cualquier precio lo quieren normal, es decir, vulgar. El artista sufre así, desde el regazo materno, la crueldad que le depara su congénita desavenencia con el medio ambiente.... Le han hecho sentir que es 'un raro', y en la mente infantil esto suele confundirse con 'monstruoso'. Tal su problema de por vida".

Y bien, digo que yo la conocí entonces, jugamos juntas alguna vez, pero ella se fue saliendo, sin salir, de aquella su casa musical y perfumada para entrar en la austeridad de los estudios, trabajar -sin que le hiciera falta el dinero- y sobre todo doblegar las palabras hasta hacerlas dúctiles y deslumbradoras a golpes de revisión.

Emma Godoy ha ganado puesto de selección, no solamente por su profesionalismo, que siendo tanto no ceja sino enriquece; ni de su cultura, que a pesar de su vastedad, cultiva; sino por esa endemoniada penetración en el misterio y las sombras mágicas, donde se estremece la gracia y puede tocarse la alegría.

Recojo aquí -en tono menor- dentro del homenaje a Emma Godoy, una parte de su vida, tiempo desprendido por su propia voluntad, empero espacio vital que la rodeó a riesgo de perpetrar un allanamiento de morada; pero es interesante conocer aquel barrio que era -o me lo parecía- venturoso lugar de recreación, sobre todo para descubrir a lo que ella renunció para elegir otra forma de vida.

III

Un lugar en la "región más transparente del aire". Era Popotla, sitio campestre aledaño a la Ciudad de México, separado de ella y nacido en la bifurcación de la antigua calzada de Tlacopan, una de las tres vias de comunicación que tenía en los antiguos tiempos la isla de Tenochtitlán con tierra firme y que luego fue conservada al principio del virreinato por la traza de Cortés.

De San Cosme a Popotla la calzada se ensanchaba y estaba cubierta de árboles desde el oriente al poniente. En la escisión se levantaba -hoy todavía- a la izquierda el Colegio Militar y a la derecha una capillita colonial de nombre evocador: Merced de las Huertas.

Hacia 1920, cuando la capital se pobló de familias que huían del campo en busca de seguridad, se presentó el problema ue las habitaciones. Muchos de los recién llegados y otros de los antiguos moradores se arriesgaron a vivir más allá de la garita de San Cosme, tanto porque así podían concurrir a atender sus negocios en el centro de la ciudad por medio e un ruidoso trenecito de juguetería con asientos de bejuco amarillo, como porque carecían de la riqueza de otros que levantaban sus residencias en Tacubaya y San Angel, aunque es bien sabido que ahí en el sur no solamente se iba a cambiar de aires, aliviar catarros y descansar -no sé de qué- sino sobre todo a jugar con apuestas, vicio secreto entre otros, de la frívola sociedad pacata del neoporfirismo, aunque de todas maneras se disfrutaba por igual en un lugar y en otro de aire claro y luminosa claridad.

Popotla fue refugio de matrimonios jóvenes, funcionarios, madereros, hacendados o inmigrantes italianos y chinos, éstos últimos dedicados al cultivo de hortalizas y frutales.

La calzada de Tlacopan y su hermana paralela Mar Mediterráneo -donde vivió Emma- siempre habían tenido tránsito vigoroso por su cercanía con las terminales de ferrocarriles.; también desde tiempo inmemorial fue camino de escape: por ella huyó Hernán Cortés y lloró -leyenda al canto- en el árbol secular de la "noche triste" para los conquistadores y triunfal para los aztecas antes del ayuntamiento de las razas. Dicho árbol, sin ramazones, osamenta de viejo maderamen petrificado, subsiste hasta nuestro dias, apuntalado, como nuestra historia trágica, con dureza de lágrimas. y detrás del mismo se ha levantado un muro de agua donde todavía concurren los pájaros al atardecer.

También al final de la época virreinal, un marido celoso escondió a su inquieta mujer, la hermosa Güera Rodríguez, para tenerla a buen recaudo por sus inquietudes de "adelantada", aunque poco o nada valieron sus precausiones según crónica sabrosa e imaginada por don Artemio de Valle-Arizpe.

Durante la Insurgencia, Leona Vicario tomó por esa calzada rumbo a San Juanico y después hasta Ixmiquilpan, pues cuando paseaba por la Alameda le dijeron que la iban a tomar presa por su participación en la conjura, lo cual luego ocurrió, a pesar de ser sobrina de don Pomposo, realista radical -valga la frase- aunque ella acabó por irse con su Juan, digo con Andrés Quintana Roo por amor a éste, pero sobre todo por la santa causa a la que había entregado ya sus joyas, amén.

A partir de 1911 entraron por la calzada de Tacuba los ejércitos triunfantes con los caudillos de la revolución que aterraron a los moradores, los cuales se habían podido o querido ver la miseria rural.

Pero frente a la historia oficial, el barrio de Popotla tenía la suya, con sus personajes pintorescos, como el frutero y el pandero, ambos con sus canastos en la cabeza, el entrego del carbón de bola detrás del alargado grito de vendedor, el hombre que ofrecía leche de burra "para los niños entecos" y el inolvidable nevero con barquillos de limón.

En San Felipe, jardín triangular y melancólico, vivía Felipe Llera, el autor de "La Casita", y una dama antigua paseaba a diario, en silla de ruedas, al esposo trastornado, porque así quedó desde el día de sus bodas al caerse del caballo y ella lo cuidó con una fidelidad aciaga que duró cuarenta años o más.

Había lugares de francachela, como la casa del aborrecido usurpador Victoriano Huerta, casas donde "espantaban", como tiene todo barrio que se respeta, casas misteriosas como la del general Roberto Cruz, casa con miles de niños como las de las familias Sarre Ibarrola, Medicina Pimentel, Mata, Morgado, Alejandro, Higadera; otras con menos: Morgado, Ibargüengoitia, Hidalgo, Garibay y Zermeño, por nombrar algunas. También fue lugar preferido por familias extranjeras. Hubo, Hentschel, Signoret, Kleiwan y sitio de reposo para generales ilustres -Ambía, Zárate, José I. Lugo- así como los médicos afamados: Castillo, Hernández, Olvera, Leopoldo Chávez y Jorge Meneses Hoyos.

Siempre, desde entonces hasta hoy, el corazón del barrio seguía siendo "El Arbol", tal como lo pintó Miguel Vázquez Arce desde su casa blanca, por cierto punto de reunión, desde principios de siglo, de artistas, poetas y "hacedores" de la *Revista Moderna*.

Algunas residencias lucían jaulas monumentales con miles de pájaros y pavos reales como la de la familia Martínez Tornel, precisamente enfrente de la de Emma, pero ciertamente la mayoría eran como "Pajareras de niños", pues como no era costumbre que ellos saliesen, dentro de sus hogares se organizaban travesuras, funciones de títeres, fiestas de disfraces y de vez en cuando algunos espiaban las estancias clausuradas donde había objetos extraños, como sillas de parto, corsés ajustados y cosas de "secreto familiar".

Por los años treinta salía vestida de ángel para el ofrecimiento de flores una niña que por ser la más bonita encabezaba el cortejo procesional. Tiempo después, al agravarse el problema religioso, el rito se volvió clandestino, con gran angustia para los pequeños, y el ofrecimiento se realizaba al alba, en el convento de unas religiosas, frente al rancho de Nextitla, propiedad éste de la familia Elizundia Charles; hoy la capilla es biblioteca de una Escuela Vocacional.

Esa niña bonita era Emma Godoy.

Su casa era una sólida construcción, me parece que de tezontle, con gran terraza donde una escultura con el brazo en alto esparcía una luz azulada; la casa estaba situada dentro de vastos jardines y se comunicaba -saltando la tapia, se entiende- con un solar misterioso de gigantescos árboles, casi siempre desierto, de la familia Rincón Gallardo.

Hoy, en una parte de esa casa se levanta el sanatorio particular de los doctores Ortega.

En esa casa como en otras, caía en parvadas toda la chiquellería del barrio.

No sé cuántas recámaras había en casa de Emma; a mí me parecían ochenta, porque se jugaba a gusto "a las escondidas" y la oscuridad se multiplicaba al abrir puertas y puertas sin fin. Cuando la familia vino a menos se alquilaron las habitaciones del fondo, pero para entonces Emma ya no se enteró, porque empezaba a vivir en su mundo propio.

Ella no depositó trece monedas frente al San Antonio Cabezón –así era nombrado– de San Antonio de las Huertas, ni esperó las serenatas de los cadetes del Colegio Militar que se escapaban por las caballerizas para visitar a las novias o "pelar la pava", sino entró en la manía como el señor don "Quijote, de leer y leer; así "pasaba las noches de claro en claro y los días de turbio en turbio", pero del poco dormir y del mucho leer no se le secó el cerebro como el manchego ni perdió el juicio, sino volvióse lúcida, sapiente y asaz misteriosa.

Mi familia emigró y dejé de ver a Emma. Volvimos a encontrarnos en la Facultad de Filosofía y letras en la casona de Mascarones, también en la calzada de Tacuba, a la altura de San Cosme. A las siete íbamos al café soterrado donde concurrían las muchachas de otras facultades, pero Emma salía de ahí, se daba vuelta y continuaba estudiando una carrera paralela en la Normal Superior.

Así podemos entender cómo ese afan sostenido la ha llevado a linderos de más allá, no sólo de la erudición y la cultura, sino donde empieza ya la sabiduría; ha estudiado el pensamiento profundo de Oriente y los misterios de las religiones, todo eso que trasciende y huele a eternidad.

IV

Saudade. Hoy por hoy, Emma y la ciudad de México son polifacéticas. La autora mantiene su calidad humana sobre la muralla firme de sus convicciones y es bien sabido que no gusta de transigir con tonterías y juicios superficiales. Sabe lo que es y lo que vale y obra en consecuencia.

No he visto nunca que le tenga temor a cosa humana; quizá sea la persona más dueña de la libertad que he conocido, porque no le afectan ni interesan prestigios, riqueza, vanagloria, ni cuestiones sociales o familiares.

Empero hay un ángulo que informa de su generosidad: en el ejercicio de su magisterio atiende y estimula hasta a aquellos que nada prometen, con la remota esperanza de que algún día fructificarán; por eso siempre ha tenido discíspulos, no alumnos.

Por nombrar alguna cosa de ella, diré: su estudio sobre *Muerte sin Fin* de Gorostiza *(Sombras de Magia*. Fondo de Cultura Económica) donde analiza el poema de acuerdo con las teorías de Hegel, Kant y el idealismo filosófico, me parece insuperable.

¿Qué hace hoy, qué fragua, en qué caldero hierven su avidez y su ternura?

Me ha dicho que levanta muros para apresar la soledad; vano empeño; hasta allá llegarán los que buscan su consejo para descubrir el camino de la buena ventura, porque no es fácil que la dejen los que la han seguido durante veinticinco años. Espero sin embargo que pueda asir lo inasible para mostrar lo que no se suele percibir.

De mí sé decirle que esta estampa de su niñez pretende ser como esos encuentros cordiales en los cuales se piden noticias de seres, cosas y lugares, con el abatido afán de retomar unos instantes lo perdido. Quise mostrar también algo de lo mucho a lo que ella renunció, porque supongo que algunas veces -ésta es una de ellas- las reminiscencias fortalecen para proseguir.

LA LIBERACION DE LA MUJER

Por Rubén Marín

El que ha oído hablar de una mujer de la que se habla mucho, y se sabe que es -todo al mismo tiempo- maestra, filósofa, escritora, poeta, ensayista, dramaturga y conferenciante, a buen seguro se imaginará una persona adusta, severa, sentenciosa, y quizá algo pedante.

Si esta mujer, de las que no hay muchas, se llama Emma Godoy, quien la suponga como dije se llevará al conocerla una agradable sorpresa. Porque es Emma una mujer sin ínfulas, sencilla a más no poder, y encima chispeante y graciosa, de buen humor y de comentarios agudos, oportunos y certeros. Poca sombra de filosofía y mucha luz de risa en su conversación, esa conversación la suya certera y salpimentada.

Castigat ridendo, escribiría una latinista de tercera, porque Emma no tiene pelos en la lengua y suele decir, burla burlando, tamañas claridades. Encanta que sea mujer llana y cascabelera, y que critique como mujer, pero culta y alegre, esa que se ha metido en las difíciles abstracciones de la novela sicológica, o en las asperezas esotéricas de las religiones orientales, o en la disección mental de sus personajes de teatro.

Y todo, sin contaminarse. Nada de tan fácil riesgo para una mujer -y claro que para un hombre-, como incurrir en pecado de vanidad cuando la cultura no asienta y vivifica el ánima sino que la endurece y la descarría.

Y peor pecado en el engreimiento es la conveniencia, en cuyas aras suelen escritores deleznables sacrificar a una idea y principios. Es más liviano entrar a la plaza sonora por la puerta grande que al espíritu por la puerta estrecha de las escrituras.

Pero no Emma. Conserva la limpieza difícil e íntegra de su pensamiento libre. Ha sabido no escuchar la seducción de la gloriola barata que ofrecen las ideas al uso mediante la limosnera abdicación de la conciencia. Todo, regalías, sinecuras, laudanzas, para quien se pone a tono con los tiempos, con el cambio, dicen, con la heterodoxia, con toda esa macolla de pampalinas útiles que no piden más que sumisión intelectual.

Y Emma está firme. ¿Qué Dios es una antigualla? ¿Que el cristianismo pasó de moda? ¿Que la quiebra de la doctrina católica de algunos demuestra su inconsciencia? ¿Que la moral es un subproducto económico superpuesto a la utilidad? Emma está firme -firme pero no sola- y ni se dobla ni se raja, y póngasele al verbo rajar el picoso acento del habla de nuestro pueblo.

Ha escrito mucho para mujeres y no desde la cátedra sino desde el piso, como a la pata la llana pero en tono mayor, alegremente hondo y valientemente alto. Es más, ha escrito a la moderna. Ha escrito sin aceptaciones y sin concesiones, ni de nadie ni a ninguno. La puerta estrecha. Ha mostrado a Dios sin sentir y ha demostrado que no se puede vivir sin El. Ha presentado su fe integérrima sin enseñarla, y ha hablado mucho de la moral sin que nadie se dé cuenta. Ha sembrado en lenguaje manso y desnudo, pero fértil.

Porque, cristiana ejemplar, no es ni escolástica, ni beata ni fanática, ni reaccionaria. Al revés, y sea ésta su brillante contradicción, es una mujer moderna; y más, es una mujer liberada. Bueno, ¿pero qué es esto de la liberación de la mujer, cosa tan en boga?

Se libera, naturalmente, el que alcanza la libertad. Pero aquí nos topamos con una molestia: ¿Y qué es la libertad? La libertad no consiste en hacer cada quien lo que le dé la real gana, sino precisamente lo que debe de hacer. Matar a un hombre no es una muestra de libertad cuando se me antojó matarlo. Aprender a respetar la vida humana es aprender a ser uno libre en el más claro y más limpio de los sentidos: la libertad exige principios.

Proceder cada quien a gusto del impulso no sería libertad sino caos, porque el libre arbitrio no se compadece ni con el desorden, ni con el libertinaje, ni con la bestialidad desatada: ser libre es la mejor manera de ser responsable.

El hombre verdaderamente libre es el que acentúa su calidad de ser hombre, y lo alza y perfecciona. Ha escogido la espinosa ruta del espíritu y ejerce su voluntad allí donde es más difícil: en él mismo.

Y así la mujer. Más libre será mientras sea más mujer, mientras más apure la esencia de ser mujer, mientras más se empine sobre el apetito y el instinto.

Cosa difícil ésta de dominar al animalito que llevamos dentro y que nos roe el pensamiento con dientes amargos y nos desgarra la entraña con uñas de hielo nos sopla en el oído cosas apetecibles y malignas. Es más fácil echar a los sentidos pienso de contentamiento que fraguar penosamente el sentimiento y el alma a golpes de dignificación. Es más fácil desnudarse en la playa para apacentar la piel que meter buril a un soneto en la cuchilla de la madrugada.

No hay emancipación si no se deja volar al alma, si no se le enseña a mover las alas. Corretear a cuatro patas es ejercicio zoológico de sudor y músculo y nada más. La verdadera liberación está en quitarnos la crisálida de pergamino y salir viento eficaz del espíritu.

Imitar la mujer a los hombres bastos o a las mujeres livianas que salen en los periódicos o en las pantallas no es ni levantarse ni liberarse sino abajarse. Buscar por la cultura el saber hondo, y por la ruta del espíritu aprehender el sentido cósmico de ser, de ser en lo alto, eso es desyugarse uno, liberarse uno.

Quedar a merced del bajo vientre, o sometido a las apetencias rupestres, o mantenerse a nivel del piso, eso es tomar el rábano de la liberación por las hojas de la botánica.

¿Qué mejor ejemplo de emancipación que esa linda mujer fuerte, sana, dulce y elevada que fue Sor Juana? ¿Pues qué no la tienen nuestras mujeres al alcance de sus versos y de la limpia calidad de su alma sin querellas, ni trasunto de amargor, ni mota de pobreza?

Bueno, pues Emma Godoy es mujer liberada por la sapiencia y por el cincel de la devoción, con lo cual se trabaja mejor la sustancia del espíritu. Lleva ella, jocunda y ligera, los pantalones de una fe recia, espesa, y yo diría que viril, es decir, fertilizante.

Tiernamente femenina, ha logrado la robustez cristiana, en donde está la verdadera clave de la emancipación, limpia y genuina, de la mujer de veras.

EMMA GODOY Y LA ARMONIA

Por Ma. de la Luz García Alonso

Lo cósmico y lo infinito han sido determinaciones topográficas que el lenguaje de Emma Godoy transforma para designar un sitial -no contaminado por la "madre tierra"- al espíritu de dos grandes de la palabra: Sor Juana y Gabriela Mistral. Lejos, parece resguardarlas de todo lo tangible, absolviéndolas de las leyes de la gravitación de los cuerpos. Alli había colocado a los ángeles el Estagirita y allí se encuentran las relaciones interestelares de Pitágoras: la armonía.

Quien haya dicho que armonía es jerarquía, ha encontrado a Emma. Lo suyo es trazar proporciones entre los nombres del ser, entre las realidades del cosmos noetós; lo suyo es expresar la síntesis de la verdad el bien y la belleza. Nunca una tarea unilateral para ella sino la ambición del todo, de lo uno. La verdad más profunda, la más cierta; así alcanza con mirada incisiva los misterios metafísicos cuyo escenario mide al hombre en horizonte teleológico, enmarcándolo en una dignidad que es riesgo responsable. Lo que es Verdad en cierta perspectiva, es Bien si se toma en escorzo. Y es también Belleza. El arte literario no está en el contenido -que es sólo condición necesaria- pero este contenido en la obra de Emma es conjunción de verdad y bien que transparenta, que trasluce la forma transformada en magia.

Ella va por ese pentagrama de las constelaciones con coraza de oro sobre un corcel. Ella es Damián, pero un Damián alado en plena lucha, un Damián que con la espada combate al lado del Arcángel. Un Damián fatigado, cansado de perder escaramuzas, y al mismo tiempo seguro de la victoria final, esperanzado, alegre. "En la guerra como en la guerra", Arte, Filosofía y Moral quedan rezagados. Por delante va la Religión, el ansia de triunfar sobre el Príncipe de este mundo. Ella está definitivamente comprometida, no conoce lo que es contemporizar ni sabe de eufemismos. Todo hombre existe comprometido, pero unos lo saben y lo confiesan y otros lo ignoran o lo disimulan, aunque a muchos el compromiso los degrada mientras que a otros los eleva.

Ser armónico significa comprometerse con un orden jerárquico; y ello hace que el compromiso asuma -ennobleciéndolos- todos los valores. Comprometerse con la fe es abrirse al conocimiento de algo que sólo a través de esa vía se expresa, y es -al mismo tiempo- bregar en el conocimiento temporal y esforzarse en la actividad artística y en la bondad humana.

La verdad que doblega al sujeto, la voz callada del encuentro fiel, inteligente, con el ser, es para Emma Godoy, un himno: "ellos deben tener la verdad -escribe- porque no ceden ni ante la necesidad". Amar la verdad y abrazarla apasionadamente es el único camino para el filósofo: es esa su actitud, pero además ella no ha oscurecido nunca la verdad. Es transparente a su luz, ante la que quiere desaparecer. Su yo se desintegra para no estorbarla y se deshace en pérdida de éxitos sonoros -ya suenan los suyos, pero se muestran mudos ante lo que debieran ser- de consensos mayoritarios, de tranquilidad, de honor; ella no oculta sus errores, pertenece a la clase de los que se obstinan en no disfrazar de bien el mal, aunque por ello tengan que reconocerse moralmente capitidisminuídos.

Actuar así implica vivir con la coraza puesta y blandir la espada, porque el "Príncipe" siembra la confusión, es el enemigo de la razón.

Al bien le pertenece un lugar propio entre los hombres. La moral es un requerimiento humano cuyo valor permanece aun siendo asumida por la religión. Si se niega la moral fundamentada en la naturaleza humana, no es posible salvar la moral basada en el imperativo religioso. "Dios perdona, escribe ella, pero la naturaleza no". La falta moral queda escrita de manera indeleble en la trayectoria existencial de la persona y produce efectos colatelares en el resto de los seres humanos. De esta reacción se desprenden el sufrimiento y la tristeza.

El bien exige el vasallaje de la voluntad, y al bien objetivo, y a la norma universal, independiente del *hic et nunc,* se halla subordinada la libertad que "no está en el riesgo de perderse, sino en la coyuntura de ganarse". Muchos frutos amargos de la psicopatología proceden de la rebeldía frente a esta exigencia.

Y Emma Godoy respira sonrisas.

¿Quién puede canonizar la obra de su época? Inútil juzgar sin perspectiva. Pero no es que no quepa el discernimiento artístico del momento.

Condenar es mucho más sencillo -y válido, ¡y necesario!- ¿Quién temerá afirmar que el monumento a la Revolución no es una obra de arte? Para condenar no hace falta perspectiva y ello simplifica el trabajo en un grado muy alto. Entre la multitud de obras contemporáneas, por la acción discriminadora de los estetas, van quedando muy pocas que resisten el duro examen. Allí está, de pie, la obra de Emma Godoy.

Su espada empapada en tinta señala la verdad y el bien, heridos -en su obra- de belleza. No hay miedo en sus ojos ni en su pluma. Sólo teme arrollar a otros con su prisa; lo teme y le duele, porque sabe rendirse ante todo lo humano.

No tiene miedo, porque camina bajo un palio. Ese dedo de Dios, de trazos fuertes, que se guarda en la Sixtina, va señalando a Emma Godoy, y describe un sendero firme para que lo siga sin tropiezo. No padece angustias existenciales, ni se atormenta con búsquedas sin fin; la lid del espíritu constituye algo más que el quebranto, la impotencia y el fracaso humanos.

Toda victoria alada es signo de alegría y serena facilidad: como en Mozart, en Miguel Angel -nuestra deformidad ha subrayado su desazón pictórica para ocultar el magistral dominio del mármol- Aristóteles, Dante, Velázquez, San Juan... y tantos.

Por delante, la inquietud religiosa que se desborda en poesía mística, en pedagogía moral, en filosofía de la Religión. Y se vuelca en el estudio de las religiones, en los Vedas y en la Biblia, produciendo sobre la materia un acervo erudito nada corriente y la sabia penetración que ilumina distinguiendo y dilucidando en el terreno del símbolo y de lo sobrenatural.

Y después y antes, la experiencia, la vivencia personal religiosa, la riqueza interior, principio y fin de la armonía: "ir sin sandalias dentro del alma, para no marchitar el silencio..."

NO PUEDE PASAR INADVERTIDA

Por Carlos Alvear Acevedo

No es Emma Godoy mujer que pueda pasar inadvertida en ninguna circunstancia: ni por su físico, que revela en el gesto, en la actitud, en la mímica, el fuego de las convicciones profundas que la animan y la vivifican; ni menos por el intelecto y la producción fulgurante de ideas que chisporrotean con deslumbrante sucesión, apenas la palabra asoma a sus labios.

Ubicada más allá de toda línea gris o mediana, situada en el nivel relevante de los seres generosamente dotados para la guía cultural, para los pensamientos brillantes, para la simpatía humana y para la facilidad en la comunicación con los demás, Emma Godoy es una mujer que, como ella misma ha querido subrayar, cree en la liberación femenina con base en la ideación, y no –como podemos añadir– en el modo rastrero que ha prendido en tantas para rebajamiento de ellas y profanación de su ser de mujeres.

Emma Godoy entiende la liberación como una tarea

de superación en donde la persona es sujeto y no objeto, jinete y no bruto que corre con impetuosidad animal e indomeñable.

No puede, en consecuencia, considerarse a la autora de *Erase un Hombre Pentafácico* como una mujer meramente cerebral, fría, de rígida línea en su existir y en su trascender de mujer, de escritora y de maestra.

Por lo contrario, se conjugan en ella la idea con la acción, el pensar con la agradabilidad que fluye y prende, la palabra con la voluntad pronta a concretar las directrices más nobles, en una síntesis que no es fácil encontrar en las realidad corrientes de toda hora.

Y porque es capaz de traducir lo que piensa en acción, y de reflexionar en lo que la acción implica, deja una impresión perdurable en torno a ella, como corresponde a quien es y ha sido por antonomasia, maestra en al expresión escrita, y maestra a través del verbo que llega a todo auditorio, para solaz de éste.

Con ello resulta que la persona y el reflejo vital de Emma Godoy vienen a constituir un testimonio, una afirmación, una enseñanza y una directriz -bajo la inspiración del valor cristiano- en una mujer que prueba sobradamente cómo la cultura no es ajena a la fe, y cómo la alegría de vivir no es extraña a las más auténticas vivencias de un credo religioso que ella no oculta -ni podría ocultar-, porque sabe pensar y sentir al unísono con los más caros anhelos que la impregnan y la sustentan.

Mujer como Emma Godoy no puede ser, pues, ignorada por nadie que la conozca o de ella sepa, en la medida en que una página suya, una afirmación suya, o una actitud suya, revelan su hondura, su vivacidad y su magisterio.

EMMA, LA VOZ

Por Margarita López-Portillo

¿Qué puedo decir de Emma... criatura apasionada buscadora de Dios; siempre en movimiento, disparando ideas, sembrando palabras, apoderándose de todo cuanto la rodea?

Cerca de Emma todo se diluye, nos asume, nos desaparece. Su voz se eleva en el viento con batir de alas, y habla y dice cosas inauditas, místicas, teológicas, justas. De ella misma extrae el conocimiento que surge de manera espontánea como deslumbramiento intuitivo. Su pensamiento gravita sobre la idea de unidad y universalidad cristiana. Ninguna duda vive en su mente, ninguna vacilación, ninguna interrogante.

Es buscadora de la divinidad. Para ella el saber trae salvación; está de acuerdo con la filosofía y la teología de Santo Tomás que nos enseña que la vida y la razón no son sino dos aspectos de una verdad.

Emma espiritual y mágica, se comunica con la creación y conoce cosas ocultas. No está sujeta a las estrellas, pero conoce su propio destino. Está libre del poder de los demonios porque custodian su puerta ángeles. No es de la clase de seres que hablan a cada uno lo que le gusta ni está acostumbrada a dar respuestas serviles a preguntas arrogantes.

Se conoce bien y no quiere cambiar, como tampoco podría mudar su naturaleza, ni puede ser igual a los demás porque su razón está por encima de su conveniencia. Conquista y derrumba a los que viven bajo la duda y la vacilación.

Emma opina que la ciencia dice muchas cosas sobre lo eterno y también la poesía que encuentra en cada cosa.

Un sutilísimo hilo de fraternal afecto me une a Emma Godoy... Un sentimiento de admiración auténtica, un parentesco venido de no sé dónde, pero siempre presente; me enternece su rostro vivo sin asomos de muerte, sin sugerencia de inmovilidad, hecho de luz, de fuego, de talento.

Emma Godoy: inolvidable y querido personaje... *Voz de nuestro tiempo.*

VEINTE AÑOS DESPUES

Por Alejandro Avilés

Escribir en *Abside* es, sin duda, un privilegio. Pero volver, tras años de no hacerlo, es renovada alegría. Máxime cuando el objeto es rendir homenaje a una egregia escritora que es, al mismo tiempo, gran amiga.

Evocaremos aquí a Emma Godoy tal como la conocimos hace veinte años. La evocaremos tal como era y pensaba cuando, enviados por Carlos Septién García, fuimos a entrevistarla para la serie "Poetas Mayores" que escribimos en *El Universal*.

Lo que más nos llamó la atención en ella fue su deslumbrante humor, unido a ese no tomarse en serio que constituye auténtica humildad. No se tomaba en serio, aunque ya entonces estaba consagrada como escritora por *Caín, el hombre,* misterio trágico que sigue siendo la obra que más nos gusta de ella, y por *Pausas y arena,* libro de poemas publicado "bajo el signo de ábside".

Antes, al ver representado su *Caín,* nos había impresionado su hipótesis acerca de la cultura. Según decía, son las cainitas o descendientes de Caín quienes, al verse alejados de Dios, lo han venido buscando a través de las formas culturales, sin que hayan podido en plenitud encontrarlo, porque, como lo había dicho López Velarde, la cultura es "inepta" y sólo el místico puede ver a Dios.

"¿No pudo alzarse ante nuestros ojos el decantado erratismo de Caín: el símbolo de las múltiples vías de la Cultura?", se preguntaba Emma Godoy. Y se contestaba: "Yo así lo creo, porque el hombre que erige una ciudad no parece que pueda ser un nómada. Para todo hombre, hasta para el santo, en este *mientras* en que peregrinamos lejos de la Gran Presencia, ¿no será sólo la cultura nostalgia de Dios?"

Antes de entrevistarla habíamos consultado también la tesis con que se graduó como maestra en letras: *Iniciación a los estudios literarios y la psicología de los adolescentes.*

"Educar es humanizar", había dicho Emma. "Ser hombre es vivir en íntima relación con los valores". De ahí que "viviría más intensamente -sería más íntegramente hombre- quien ofreciera su carne a todos esos pájaros intangibles que, viniendo de los cuatro rumbos de la estrella del sueño, piden realizarse en una sangre concreta y espacial. Resistirse a uno solo de esos vientos es declararse hombre mutilado".

Pero en la escuela de hoy, advertía, la ciencia lo es todo "y casi no tienen ojos para el arte". Y esto no es justo, porque "la belleza es, en la escala axiológica, hermana de lo santo. Celeste es su naturaleza. Cuando el hombre la toca, ya es más que hombre; mira sus manos transfigurada y reconoce en ella su origen, por gracia, en la Divinidad".

Platicamos entonces de poesía. Descubrimos que, más que poesía o novela, ella leía obras de filosofía y ciencia. Pero estaba en plena creación poética y tuvo la gentileza de entregarnos, en exclusiva, un poema inédito.

"La poesía -nos dicho entonces- es cuestión de épocas y de estados de ánimo. Y es algo que a veces se agota. Anda uno buscando formas de expresión. Y a veces las encuentra en el verso, otras en la prosa. Por ejemplo, a mí me interesa más la prosa para lo que quiero escribir en estos meses". (Preparaba su novela *Erase un hombre pentafácico*). "Las formas de belleza pueden ir variando con la vida misma. Empieza uno por cantarle a la rosa y puede terminar por cantarle a un harapo. La madurez estética busca el contraste. Quítele usted -entonces nos hablábamos de usted- a don Quijote la compañía de Sancho, y la poesía se pierde".

Respecto a la creación poética, Emma nos dijo:

"Al encontrar varias frases semejantes, tenemos que escoger. Y escogemos aquella que refleja mejor nuestro estado de ánimo. Pues la poesía no es expresión de conceptos, sino ante todo de sentimiento. De varias frases dadas, sólo una tiene la chispa. El problema del poeta no es encontrar las frases, sino tachar las que no sean. Y, como lector, uno tiene sus preferencias absolutas. Que me quiten a mí toda la literatura española, no más que me dejen a San Juan, a Fray Luis y a Gorostiza. En soledad vivía... vivir quiero conmigo... Inteligencia, soledad en llamas... Mas, por encima de todo, está este designio: saberse creatura de Dios y hacer todo en consecuencia".

El poema a que antes nos referimos, dado a conocer por nosotros en *El Universal*, es el tríptico *Ser Otro*, cuyo tercer soneto insertamos después en el albúm de discos *Poesía religiosa mexicana*, de la serie "Voz viva de México", editada por la Universidad Nacional. Por cierto que en *El Universal* cometieron una errata memorable. Ahí donde ella decía, dirigiéndose a Dios, "Tú que *me* piensas", en la imprenta copiaron: "Tú que *no piensas*". Ya se imaginará el lector lo que la mujer poeta pensó de linotipista.

Con la venia de don Alfonso Junco -más que director, amigo-, nos permitimos aprovechar esta ocasión para corregir otra errata que nos afecta. Y es la que se comete en el número anterior de *Abside,* en el comentario de don Alberto Valenzuela Rodarte a la *Obra Poética* de Francisco Alday, por nosotros prolongada. Pues al transcribir nuestro parece de que "Alday es el mayor lírico religioso de México, se omitió el adjetivo *religioso,* con lo que nuestra opinión aparece no sólo digna de ser "matizada", como benévolamente escribe don Alberto, sino francamente arbitraria.

Mas lo que importa ahora, veinte años después de la entrevista, es añadir que Emma ha comprobado, desde entonces, aquella franqueza suya, esa sí matizada de humorismo, con que se ha ganado la simpatía de amigos y adversarios. Y ha sido recordado aquí.

LA MAESTRA

Por Margarita Michelena

Pocas personas habrá por estas tierras con las dotes intelectuales y la erudición de Emma Godoy. Pero menos todavía las habrá capaces de poner esos atributos y conocimientos al servicio de la más noble y necesaria de las tareas: la de formar seres humanos -lo cual es muchísimo más que informarlos- no sólo en las disciplinas de la inteligencia y la ilustración, sino en la senda de los valores eternos: la belleza y el bien.

Tal ha sido el quehacer vital de Emma Godoy, que le ha supuesto la aplicación directa, en la materia viva, en el espíritu de los demás, de sus excepcionales dones para la poesía y el pensamiento, de su fuerte vertebración moral.

En tal sentido, pues, Emma no se ha limitado a tener alumnos. Ha hecho discípulos. Y eso en un medio de enseñanza que propicia todas las cobardías, todas las abyecciones, y que es por lo general pura y ruin claudicación, mera renuncia de unos para permitir la usurpación de otros. Pero no sólo allí, no sólo en la cátedra que con ejemplar constancia y admirable honradez ha impartido por muchos años. Porque Emma Godoy -cuyas colaboraciones aparecen en las páginas de las más encumbradas publicaciones literarias- ha hecho también un tipo de periodismo didáctico y moral que era indispensable y cuyo estilo ella crea y define en un momento en que sufrimos los embates de la desintegración, del materialismo atomizador de nuestra dignidad, de la falsa liberación que se nos mete en la casa del alma y la de la familia por mil puertas igualmente falsas -una de éstas la del sexo, enarbolado como bandera de emancipación total y que no es, a la postre, así entendido, sino la forma más infernalmente triste y degradante de la enajenación-. Ese periodismo de Emma Godoy es una manera viva, directa, valerosa, intensamente espiritualizada, de reedificar, de orientar, de guiar, de hablar con un lenguaje comprensible a las mayorías de los más complejos problemas de la moral y el pensamiento.

Emma -maestra por vocación profunda y prolongado ejercicio- sabe de la necesidad humana de respetar ciertos límites, de percibir algunas luces contrarias al tropiezo, de poner en orden lo que en la confusión se deteriora y perece, de resacralizar esas zonas del ser que los mercaderes metidos en su templo profanan y destruyen. Así, Emma desempeña infatigablemente su quehacer de buena viñadora vigilando que las semillas caigan en buena tierra, arrancando la cizaña que devoraría la vida de esas plantas de Dios. En eso, nada más y nada menos, consiste la labor de Emma Godoy en los órganos informativos de amplia difusión, especialmente en una revista destinada a la mujer y al hogar cuyas tesis editoriales ha tenido a su cargo por largo tiempo. Labor como nunca urgente, ahora que, en abrumadora mayoría, las publicaciones supuestamente dirigidas a la mujer y la familia parecen haber emprendido una batida general, tan atractiva como implacable, contra la fortaleza que, tomada, causará la ruina de todo el tejido social y el colapso total de esa entidad sagrada que es la persona humana.

Emma Godoy es, pues, maestra denodada de la mujer y el joven, las dos plazas más asediadas y débiles de todo nuestro sistema de supervivencia. Y, contra lo que pudiera esperarse, ha conquistado un vasto auditorio, sorprendentemente receptivo a los mensajes de esta mujer valiente y lúcida cuya voz pudiera, aparentemente, predicar en el desierto y discurrir para cabreros, pero que ha sabido captar tantas simpatías y despetar tantas conciencias.

Se diría que todo ese mal, engalanado con la magia del color, infiltrado como un sutil y atractivo veneno, y destinado a despeñar multitudes por el fácil y cómodo camino del error, a los dulces sones de una nueva flauta de Hamelin, no podría reconocer vencedores. Y que, por lo contrario, se dirige a la victoria sin obstáculos, sobre todo entre la gente joven que, según se cree, no quiere "sermones" y ha determinado que entra ella y los "viejos" hay un corte radical, insalvable, que separa al mundo en dos gajos irreconcialiables: lo que fue y lo que es. El trabajo de Emma Godoy posee una virtud más: nos persuade de que es posible que los jóvenes oigan –y ansiosamente– a los adultos; de que es viable luchar contra el mal y derrotarlo; de que el alma humana conserva intactas ciertas esferas superiores que aspiran al bien como un imperativo; de que no todo está perdido; de que hay hambre y sed de bien y belleza; de que podemos poner en la mesa del prójimo -del próximo- manjares saludables y puros que satisfagan ese sano apetito de salvación, de esos valores eternos que, dígase lo que se dijere, no cambian como cambia el peinado o el largo de la falda, el baile o los automóviles.

Porque ahora está de moda -lo sabemos- negar la existencia del mal o meterlo en el mismo saco con el bien para crear un confuso, enfermizo o claroscuro favorable a todas las infecciones espirituales y, en suma, a la decadencia y putrefacción de nuestra especie. Se infunde a todas horas y por todos los medios la idea de un nefasto determinismo psicológico, según el cual de nada tenemos la culpa. Ya decretada la abolición de la responsabilidad ante el error y levantada el acta de defunción de la culpa personal, todo sucede en el mejor, más cómodo y sonriente de los mundos. ¿Libre albedrío? ¿voluntad de ser mejor? ¿Anhelo de levantarse sobre la naturaleza caída? Antiguallas inaceptables, inadmisibles formas de "represión". Por una torcedura semántica de incalculables alcances, la degradación se llama ahora libertad.

Con lo que no cuentan los "apóstoles" de la destrucción es con algo que, más o menos aletargado, persiste en casi todos los seres humanos: ese reducto llamado conciencia, que se recibe con el soplo divino de la vida, que es tan irrenunciable como la sangre y que constituye la manifestación de que sobre la animalidad hedonista a que se quiere reducirnos late en la persona un sagrado imperativo, biofílico en el más amplio de los sentidos porque quiere la vida eterna para el alma y la santificación de su morada temporal.

Emma lo ha sabido siempre y siempre ha contado con esa invencible voz interior, a la que ha abierto caminos para que salga de su sepulcro de venenosas frivolidades, de bienestar zoológico, y asuma heroicamente, en un ambiente de intoxicación materialista, la altura de su tono inmortalizador. Así Emma Godoy se ha hecho maestra de incontables espíritus que, cuando ella interrumpe esporádicamente su tarea, la reclaman con alentadora insistencia pidiéndole que continúe en su sabia y amorosa admonición, lanzada con palabras sencillas que todos entienden y que son producto de una inteligencia lúcida, de un alma vertical, indoblegable, y del total dominio de las mejores y más importantes ideas filosóficas de nuestro acervo espiritual, de lo que es en verdad la cultura, fuerza integradora y, en esto, contraria a lo que llamamos "civilización" , de cuyos frutos desintegradores tenemos tantas amargas constancias, hasta en el ámbito de la propia naturaleza física del mundo.

Es común que en Occidente la filosofía no sirva para vivir, que constituya sólo un estéril ejercicio intelectual, reservado a una élite de "virtuosos" del razonamiento. Emma Godoy figura entre los muy contados maestros -del linaje de un Alain, por ejemplo- capaces de sacar la filosofía de su altiva torre de marfil y llevarla -clarificada, vivificada- a la luz popular del ágora para que allí guíe y oriente y, devuelta a su cepa etimológica, resulte "amor a la sabiduría", culto a la verdad. para que ponga orden en la confusión y sea lo que es la luz: inteligencia que da forma y sitio a las cosas, separa la tierra de las aguas y logra que el hombre perciba a Dios, el único punto de referencia que es menester para no convertirse "en polvo, en sombra, en nada".

EN EL SECRETO DEL HOMBRE

Por Mauricio Magdaleno

Se celebran los quince años de una muchacha, los veinticinco o cincuenta de vida matrimonial o de ejercicio profesional, y está bien, porque cada nudo de tiempo registra señales irrevocables de nuestro paso. En realidad el acontecimiento no alcanza, casi nunca, sino pura formalidad social, bullanga y oropel y todo eso que llena las páginas del periódico consagradas al éxito material.

(En mi ciudad del interior, un viejo maestro, sin mayor significación en la cuenta de la fortuna, nos reunió una noche en su casa, nos regaló con tamales y un riquísimo chocolate, nos leyó unos versos, para él extraordinarios, de un poeta de la época, y nos hizo subir luego a la azotea de la casa. Era una noche cargada de estrellas y éramos siete u ocho chiquillos de diez y doce años, más una señora gorda, sesentona y cegatona, la madre del maestro. Este nos habló de lo astros y del gobierno sobrenatural de nuestro planeta. A las diez de la noche nos mandó a nuestras casas, y su madre, para la que el espacio era una pura nebulosa, nos dijo que su hijo cumplía veinticinco años de maestro, que era viudo y había elegido al pequeño grupo de alumnos para que lo acompañasen en la humilde velada).

Me viene al pronto el recuerdo al darme cuenta, por gentil aviso de Alfonso Junco, de que Emma Godoy cumple veinticinco años de maestra. Pues sí: Emma ha gastado, también, un cuarto de siglo en los afanes del magisterio. No nos ha convocado a sus amigos por ninguna manera de celebración: son tantos,ha de pensar, los que cumplen día a día veinticinco años -o más- en el servicio de la escuela, que la data de uno más es apenas grano de la mies.

Maestra en el más cumplido compromiso de la palabra, maestra en el aula y fuera del aula, sus vertientes abarcan un mundo profuso de pensamiento. El material que ha constituido en su incesante quehacer responde a un fin que marca su literatura: la búsqueda encarnizada del secreto del hombre.

Poeta de ricos registros interiores y de apretados textos de exégesis que escapan a la simple preocupación crítica y sin más ni más nos plantan en esferas de la Biblia, el Neoplatonismo, la Patrística, la Cábala, la revelación oriental, indostánica, concilia sin esfuerzo su fe -católica- con tan diferentes modalidades de la mística. En cuanto se adueña de un tema ya está ahí, palpitante, el conflicto en que los antagonismos formales logran síntesis, el conflicto del hombre en su azarosa necesidad de libertad. No otra es su temática, así concierte su idea metafísica en las fuentes de los *Upanishades,* en Tagore, en Gandhi, en Gabriela Mistral, en José Clemente Orozco, en José Gorostiza y tantas otras luces que la atraen arrebatadamente. Una simple reseña no nos dice nada de su fuerza ontológica y metafísica.

La celebración de sus veinticinco años de maestra convoca mi más alto, mi más entrañable homenaje. Le entrego en estas líneas -breves y amorosas- el sentimiento de quien crece en admiración por su magistral sapiencia y sus facultades que no pertenecen al común de la literatura y de la vida de hoy en día.

TEATRO Y NOVELA FILOSOFICOS

Por Guadalupe Galaz

Se puede hacer la introducción a las ideas de Emma Godoy citando innumerables opiniones que sobre sus obras se han escrito; tanto intelectuales mejicanos como extranjeros, mencionan los honores de que por ellas ha sido objeto; pero el mejor reconocimiento a Emma es el silencio de la propaganda.

Me he basado fundamentalmente en sus obras: "Erase un Hombre Pentafácico" y "Caín el Hombre", una novela y una pieza teatral: manera muy moderna de presentar "paquetes filosóficos" y en ellos un enfoque proporcionado a la inquietud general, al denominador común devorado por el slogan y las frases hechas en que palpitan filosofías no muy saludables que exigen respuesta. Y ella da la respuesta, graciosa, decidida, completa, consciente, encajada en una visión cristiana de la más pura ortodoxia.

Sin embargo, la pretensión de lograr una visión estructurada de su pensamiento, siempre unificado por la luz sobrenatural de un espíritu fiel, es osada. ya que, como ella dice: "¿Es uno como se mira a sí mismo, o como lo miran los demás? En aquel tiempo olvidé que cada uno es como lo ve Dios."

Se dibujará su actitud filosófica a través de dos vertientes que permiten contemplar las interrogantes del pensador, la ubicación y radicalización de las preguntas tanto como la hondura y la trascendencia de las respuestas en el vehículo de la belleza y la asequilibidad.

Emma Godoy se plantea la problemática de los filósofos modernos y contemporáneos sin caer en el modernismo. Consciente de que "en el fondo de todo gran problema humano yace un gran problema teológico" y de que "toda respuesta que prescinda de Dios, es superficial; hasta encontrarlo a El, has tocado fondo". Sobre esto dice Maritain que existen algunas ciencias filosóficas subalternadas a las ciencias teológicas, como lo está la moral a la Teología Moral: por lo que hace al fin último del hombre que el filosófo solo alcanza como algo posible -el hombre no fue creado en estado de naturaleza pura, sino sobreelevado por la gracia- y el teólogo alcanza como un hecho lo que no obstante es objeto de Fe.

Emma se adentra en las inquietudes filosóficas de Hegel y Sartre y desde esa perspectiva da una respuesta a las grandes interrogantes del hombre.

"Erase un Hombre Pentafácico" se presenta con la impronta de la angustia existencial ante el apremio de la elección. En Sartre su dolor de libertad, la necesidad de crearse a sí mismo, porque siendo libertad se es nada. La posición siempre ajena y provisional de la esencia, "pues aquí donde me ves yo no soy yo, sino una entidad desollada consistente no más en materia gelatinosa o parecida al sebo a medio derretir. Cuando no me introduzco en esas zaleas a guisa de molde, me desperdigo, mi ser comienza a desparramarse y si permaneciera sin forma, me desleiría del todo. Un rato después no hallarías de mí sino algún charquito de grasa y tal vez algún hueso medio roído inidentificable". Y la riqueza descriptiva -fenomenológica- se traslada del existencialista francés a la poetisa mejicana, con una fluidez que ella no envidaría ni por el colorido ni por la presencia de la situación íntima, psicológica.

Hegel aparece en "Caín, el Hombre" amparado en la imagen del fraticida que vuelve a Dios la espalda. Dios ha muerto, quedó atrás; y el espíritu humano omnipontente, va a construirlo todo, a construirse Dios con el tesoro de su razón que evoluciona humanizando la naturaleza, haciendo cultura.

Caín (Hegel) es el portador del saber absoluto. "Un día en el campo Caín había retado al Creador, seguro de que el hombre puede vivir sin Dios y se basta por sí solo." El hombre "se entrega a la labor eterna de levantar un infinito humano de Belleza, de Bien, de Verdad".

Caín (Henoc, el logos) "Hijo, tú eres la razón, yo te llamé logos. Antes que la ciudad existiera, yo te había engendrado, antes que las cúpulas se alzaran y en ellas se estrellaran los vientos, antes que los murallas musicales trazaran los linderos, tú eras."

"Antes que yo inventara el espacio para sembrar en él jardines y lagos, y calles a cordel: antes que yo inventara el tiempo para que los pájaros volaran, antes que yo concibiera al pájaro, y la torre y el jardín, te engendré a ti, mi hijo."

"¡Oh, Henoc, el espejo del hombre, el espejo mío! Contigo y por ti y en ti he creado todas las cosas."

La segunda vertiente del estudio, la vertiente analítica, consistirá en una reflexión sobre el pensamiento de Emma Godoy acerca de la cultura, la moral, la libertad. No hay nada que escape a los profundos sondeos de un alma inquieta, que a través de su poesía, por caminos de misterio aparentemente impenetrables, regala su pensamiento a aquellos que "sepan oír"; y no es poesía solamente, sino una visión comprensible de la vida a través del lente simbólico de una existencia, de vivencias impregnadas de realidad que aspiran llegar más allá, y no quedar enraizadas en un mundo sin sentido. "El hombre está hecho para lo infinito."

Multitud de distinciones abundan en su pensamiento, exigencia de totalidad porque el Ser es unidad y la mentira el arma de que se vale el demonio para establecer la confusión. Un desquiciamiento en los valores, una mentalidad deformada por la tormenta en que el hombre se desgaja por carecer de la fuerza radical, de la fuerza de la Fe y la convivencia íntima con Dios. La esperanza a la que se voltea la cara: la única luz capaz de alumbrar el misterio de la razón ensoberbecida, de las esencias que se aferran a existencias prestadas, es el misterio del misterio, es la elección del misterio Divino a cambio del humano. "Si no he cumplido la esencia encomendada a mi existencia, vagué sin destino, me perdí por caminos ajenos, viví al margen de mí mismo porque no elegí lo que Dios eligió para mí desde la eternidad."

Palpita en su construcción literaria -intachable- una lógica totalmente ajena a la dispersión, a la incoherencia establecida, a la cultura enajenante del hombre que no se cultiva desde su interior, del hombre que convertido en masa, en materia sin forma, se niega a construirse en obra acabada para la eternidad.

"Lo que debe ser no nace de lo que es; antes se le opone."

La verdad no lo es por mayoría, simplemente es. Ella subraya la fuerza imperativa de lo moral: "Dios perdona, pero la naturaleza no." El pecador arrepentido vuelve a la amistad con Dios, pero tendrá siempre la rémora de la falta cometida. El que ha probado el robo, estará tentado siempre, le será difícil volver a la virtud de la honestidad, tanto más cuanto más hubiera fallado contra ella. Y esto es aplicable a todo tipo de virtud.

Reconoce Emma la tendencia eterna en el hombre, de sacrificarlo todo, hasta su ser mismo, en aras del éxito material. Sin embargo considerando por otra parte todo lo que el hombre hace como producto cultural, señala cómo se educen del ser las tres principales actividades de la cultura: "mirando al ser desde su bondad, se edifica la moral; desde su verdad, la ciencia; y desde su unidad, el arte".

La ciencia es poseedora de verdades, y de hecho esto le confiere su dignidad mayor por supuesto cuanto más noble sea su objeto propio; pero estas verdades que el hombre encuentra no son sino algo parcial cuyo origen se sitúa en la verdad que en Dios reside. "Larga esperanza desesperada es la ciencia del hombre que volvió las espaldas a las manos del creador."

"La sabiduría está depositada en el principio, ahí la dejó Dios." Y toda actividad del hombre, aun siendo buena en sí misma, el progreso de la ciencia y de la técnica, el avance de la civilización y la cultura, la especialización, limitan la visión cósmica del hombre; en cierto sentido y a través de la pérdida de la conciencia de ser limitados tanto física como intelectualmente, se actúa irracionalmente cuando se fundamenta la esencia del hombre en la mera existencia sin determinación alguna.

¿Y la libertad? Se fundamenta en la inteligencia y en la voluntad. Primeramente conociendo aquello que vamos a querer o no querer una vez conocido, se puede elegir o no elegir entre una cosa u otra. Para hacer esta elección es necesario valorar el objeto. La elección implica un compromiso. El hombre al elegir algo compromete en ello toda su personalidad; el compromiso es más profundo si el objeto es mas digno.

La libertad no es desvincularse, sino vincularse al objeto amado y elegido libremente. La voluntad está determinada por el objeto; un tender a algo indeterminado es absurdo, porque el hombre es intrínsecamente un ser dependiente. Es ya una decisión el decidir no decidirse; tomar una decisión sin comprometerse no es ejercitar la libertad. Sólo se puede elegir señor, pero el hombre siempre tiene algún señor.

"La libertad es sólo un medio, no podría hacerse de ella un objetivo. Siempre es libertad *para...*: *Para* aniquilar las posibilidades y convertirse al absurdo, en el pecado; *para* alcanzar cada vez mejor el objeto de su amor, en la santidad. La libertad es *para* dejar de ser libre, pero mediante ella me cumplo o me frustro. Depende del amo que elijo: o Dios, o la creatura. Ser libre equivale a no haberse realizado todavía en ese punto; equivale a no ser aún lo que se es. No podemos permanecer en estado de libertad indefinidamente, hay que ejercitarla y ser otro. El otro a que está destinado el albedrío es el señor. ¿Qué mayor honra puedes apetecer? El es el Amo del reino libre."

La base de la moral está fundamentada en la libertad que hace al hombre consciente de su ser y de sus actos;

si el hombre no tiene posibilidad de elección tampoco la tiene de ser bueno, y desde este supuesto la moralidad carecería de objeto. La grandeza o miseria del hombre, por tanto, deriva del uso que dé a la libertad; consciente de esto, el hombre tiene miedo a su libertad.

"El albedrío no consiste en el riesgo de perderse, no hace falta para ser libre poder elegir entre bien y mal. La libertad está más bien en la 'coyuntura' de ganarse. La libertad o es creadora o no es libertad. Si decreces, no lo atribuyas sino a tu renuncia a ser libre. El mal es lo que queda allende la libertad."

Y, para remachar brillantemente el clavo:

"El albedrío dispone de un campo inagotable: el del amor. Así la sujeción a Dios no es esclavitud sino libertad sin límites. Ama, pues, la libertad de amar."

SEMBLANZA DE EMMA GODOY

Por Margarita López Portillo

La amistad con Emma Godoy se enfrió cuando terminó el sexenio de mi hermano. Cosas de la nefasta política o, simplemente, cosas que Dios dispone por algo y para algo. Soy de aquéllas que creen que no se mueve la hoja de un árbol sin la voluntad de Dios, pero el afecto profundo entre Emma Godoy y yo no desapareció. Estando ausente Emma, yo seguía su vida que dedicaba a hacer el bien y sé que ella me recordaba con frecuencia. Ahora lamento no habernos acercado inmediatamente después de aquel suceso amargo e inesperado que nos distanció los últimos años y que ahora disculpo y comprendo dada la pasión, la vehemencia y la espontaneidad que caracterizaba a Emma y que venía siendo la fuerza que la empujaba a sus incansables tareas. Fue una mujer indomable, luchadora, con intento fuego devorador que forjó su carácter y la hacía encontrar belleza en todas partes, como encontraba a Dios con aquella gran fe religiosa que la caracterizó.

Creo que la belleza es una sensación casi física, algo que sentimos en todo el cuerpo, que corre a través de nuestro espíritu hasta nuestra sangre; no llegamos a ella a través de reglas; sentimos a Dios que es la belleza, o no la sentimos. Emma tuvo el don de encontrar a esa presencia invisible a la que sirvió con desesperación, como si supiera desde siempre que tenía que darse prisa para cumplir la tarea asignada; parecía leer en un libro sagrado del todo distinto a la noción de un libro clásico; recibía la iluminación con ideas sencillas al alcance de todos aquellos que la necesitaban y la entendían, con una inteligencia infinita se expresaba de la manera más simple, porque el espíritu Santo no necesita de literatura, sino de la entrega total del ser, para comunicarse con otros ávidos de escuchar la verdad en estos terribles años de materialismo e incredulidad.

La voz de Emma se dejó oir por todo México y el pueblo la escuchó estremeciéndose con devoción. Fue algo intenso y misterioso lo que la unió con todos aquellos que quisieron y pudieran escucharla. Emma cumplió con su tarea.

Dios creó al mundo por medio de la palabra y da a sus elegidos el verbo como preciado don para mover los corazones. Usar la palabra para el bien es suprema virtud; Emma enseñó a su vasto auditorio muchas cosas, pero una de las más importantes: que la ausencia de felicidad es en realidad algo positivo que nos fortalece, porque nos enseña a luchar para obtener aquello de que carecemos. Emma dio armas espirituales al pueblo, les enseñó su íntima verdad, el infinito camino del hombre hacia la divinidad siempre misericordiosa. La escuchaban con reverente avidez y creían en sus palabras porque sabían que era una mujer auténtica con su pequeña y despeinada cabeza llena de ideas fulgurantes; de amor por su pueblo; por los astros; por las plantas; por los animales a los que amaba con pasión.

Extraña criatura Emma Godoy, mi amiga de muchos años, mi más amiga ahora que se fue; ahora que ya cruzó ese camino inescrutable para reunirse con la verdadera tierra de sus añoranzas

La ví pocos días antes de su muerte y nunca a nadie la he sentido más viva, más cerca de mí. Ella misma salió a abrirme la puerta de su casa, metida en sus arrugados pantalones, cubierta con una ligera blusa. Nos dimos un fuerte abrazo; la sentí más frágil que nunca, como si fuera una llama presta a extinguirse. La muerte ya estaba ahí, pero ella sonreía con valor de cara a la ausencia. Se recostó en su lecho y sus amados gatos se acurrucaron sobre sus piernas; aún nos habló de muchas cosas a Guadalupe Dueñas y a mí, amiga mutua. Sus palabras eran como resplandores y reflejos. No se de dónde sacaba fuerzas para hablar casi sin respirar; era como el final de escena de una bella existencia de lucha. Levantó la cabeza y sonrió al mirar los claveles que le había llevado y permanecían cerca de su cama. "Siempre te ví entre claveles", me dijo sonriendo; hablaba en el pasado; la vida se le iba y ella se sentía en otra dimensión distinta ya a la nuestra. Guadalupe Dueñas no podía contener las lágrimas, sabía que con Emma se iba su mejor amiga. Volvimos ambas dos días después; estaba Emma acostada y ya no pudo levantar la cabeza para mirarnos; estrechó nuestras manos sonriente, triunfante, como quien ha logrado llegar a una meta. Sabíamos que era la despedida; no hubo ni una queja ni una lágrima; serena, aquella flama resplandeciente reposaba feliz en el lecho; sonrió con alegría; era el adiós. Dejó esta admirable mujer en la vida de todos una huella profunda; nadie se le parece ni en su indumentaria ni en su espontánea sabiduría ni en sus imprevistos. Todo es como un sueño fugaz para llegar al momento culminante de la verdadera existencia.

Emma ya conoce todas las verdades; fue en este mundo como un soldado de Dios. ¿Qué significa llegar a este estado? Simplemente que nuestros actos ya no arrojan nieblas ni sombras. Decía Emma que el secreto estaba en la rosa. Ella ya aspiró ese divino perfume y mora dentro de él. Emma Godoy, la inolvidable amiga.

DATOS SOBRE LA AUTORA

Hacer una semblanza que haga justicia a la personalidad de la Dra. Luz García Alonso exige enunciar una vasta obra y un sinnúmero de merecidas distinciones que le han sido conferidas en nuestro país así como en el ámbito internacional y de lo cual nos permitimos destacar lo siguiente:

Obtuvo el Doctorado en Educación en el DIPAF y la Universidad Nacional Autónoma de México le confirió el título de Doctora en Filosofía; asimismo la Academia de Bardasano le otorgó la Maestría en Pintura.

Autora de numerosos artículos y ensayos difundidos en revistas especializadas de México, Argentina, España, Alemania, Suiza y Grecia, ha publicado los siguientes libros: la *Filosofía de las Bellas Artes* (1978), *Filosofía de la Eficacia* (1979) y *El Testamento de Emma Godoy* (1990) en esta Editorial. Además, es. coautora de *El Orden Económico Internacional* editado en 1985 por la Editorial Herder, de Barcelona.

Su incansable búsqueda del desarrollo del pensamiento la ha llevado a iniciar la *Filosofía del Hacer* o *Filosofía Práctica del Orden Técnico*, así como a formar parte activa de innumerables agrupaciones tales como la International Academy of Philosophy con sede en Ginebra; la Artistes-Savants de Grecia; el Colegio de Filósofos y Doctores, Coparmex, Fundice, y el Ateneo Filosófico de México. Esta incesante actividad y su repercusión en la vida intelectual le han atraído el reconocimiento del American Biographical Institute y del IBC de Cambridge al otorgarle el *Distinguished Leadership in Philosophy* y el *Certificate of Merit* respectivamente.

Sobre ella faltarían palabras para apenas delinear su interesante personalidad, dejemos pues que su maestra y amiga la Dra. Emma Godoy nos la defina con un apunte, cuyo facsímil incluimos a continuación, que preparó para la presentación de un libro de la Dra. García Alonso.

LUCERO

- Mujeres: ni Filos. ni fútbol
- Lucero desmintió mi bella frase
- Es doctora en Filos.
  Da clase en el Polit. y en la UNAM
  Asiste a Congresos Internac. de Filos. y presenta ponencia
  Es Miembro Ordinario de la Acad. Intern. de Filos. del Arte
- Ninguna mujer en México y posiblemente en América haya alcanzado tal preponderancia en la disciplina cumbre
- Lucero es la Lógica personalizada. La Metafísica disfrazada de mujer.
- No sólo piensa la Filos., la vive.
- Jamás comete una barbaridad
- Unamuno y yo.
- Hasta en su pintura – pues también es pintora – se rige por el "resplandor de la verdad."
- Puede publicar libros sobre diversos temas, pero en el fondo se refieren a los Valores: el Bien, la Verdad, la Belleza
- Lucero expresa los Valores y los practica.
- Yo también los vivo, pero con una gran diferencia: busco la manera de incrustarles alguna barbaridad.
- En fin, esta es la maestra doctora que tengo el honor de presentar ante ustedes, ante la Escuela Nacional de Maestros, Institución a la que dediqué mi juventud y he amado más que a ninguna otra. Les presento, pues a mi estimadísima amiga, la Dra. Ma de la Luz G. Alonso

OBRAS

Pausas y arena
Caín el hombre
Erase un hombre pentafácico
Doctrinas hindúes y pensamiento occidental
Biografía y antología de Gabriela Mistral
Mahatma Gandhi
Sombras de magia
Que mis palabras te acompañen (Dos Tomos)
Vive tu vida y se un genio
La mujer en su año y en sus siglos
La pura verdad o ¿puros cuentos?
Apocalipsis
Palomas sobre el mundo
El misterio está en la rosa
Margarita y los días de la voz
Antes del alba y al atardecer
El secreto para amar

Y de próxima aparición:

Un castillo y una catedral
El pecado y la gracia

INDICE

NOVIEMBRE 15, 1991
SEGUNDA EDICION
2,000 EJEMPLARES
IMPRESION Y ENCUADERNACION
TALLERES DE
EDITORIAL JUS, S. A. DE C. V.
EDICION AL CUIDADO
DE LA AUTORA